# Introdu

### *Who is the book for?*

For GCSE you learned how to book double rooms in hotels, make reverse charge calls, and buy almost every flavour of ice-cream known to humanity. At A-level you are faced with a very different task. You will now learn to talk about 'issues': family, environment, etc.

### *Developing good style*

Vocabulary is shown in a context phrase wherever this is useful. Look carefully for patterns in the ways that reflexive pronouns or particular verbs, for instance, are used in German; this is important for developing fluency. Most of the expressions in this book have been drawn from newspapers, magazines and other contemporary publications. As a student of language, remember that language is constantly changing: make a note of phrases and words for new concepts *as you meet them.*

### *Learning vocabulary*

Building one's active vocabulary quickly and efficiently is very important, especially at A-level. Here is a technique for doing so which I have found to work successfully. It also helps long-term retention. Learn vocabulary at the beginning of your homework session while you are still fresh.

1 Sit in a quiet place. No background music for this work!
2 Read each German-English (or German+definition) pair of words or phrases **aloud, twice**, concentrating hard.
3 After five pairs, cover up the English or definition side of the page, and repeat the five pairs aloud again.
4 Do the same again, this time covering up the new German words/ phrases.
5 Repeat stage 4 after about 20 pairs, and revise stages 3 and 4 after 2 hours, and then again after 24 hours.

   With practice, you will be able to learn 20–30 words in about 10–15 minutes, and, more importantly, retain almost all of them.

## Special sections

The opening section in the book is a general one; the first part consists of words and short phrases which will help you in discussions. It then lists phrases which, because of their length, are more suitable for written work. Students of business-orientated German are catered for in Sections 6 and 7. The last section, on 'Das Kulturleben', contains a section of words and phrases which will be useful when you talk and write in German about books, music, films and plays.

**NB** Items are given in more than one section where this could be useful.

## Abbreviations used in this book

| | |
|---|---|
| *Acc* | Accusative |
| *Adj. noun* | a noun which works like an adjective, e.g. *der Deutsche, ein Deutscher.* |
| *Dat* | Dative |
| *etw.* | etwas |
| *fem* | feminine |
| *Gen* | Genitive |
| *inf* | informal language; fine for oral work, but usually less suitable for written work. |
| *insep* | inseparable verb |
| *invar* | invariable |
| *irreg* | irregular verb |
| *itr* | intransitive verb |
| *jn.* | jemanden; shows that the verb or preposition takes the Accusative |
| *jm* | jemandem; shows that the verb or preposition takes the Dative |
| *masc* | masculine |
| *nt* | neuter |
| *o.s.* | oneself |
| *pej* | pejorative |
| *pl* | plural |
| *sing* | singular |
| *s.o.* | someone |
| *sth.* | something |
| *tr* | transitive verb |
| * | perfect tense formed with "sein" |

The vowel changes of less common strong verbs are given in brackets after the infinitive.

Feminine forms of professions etc. are, for simplicity's sake, only included where they vary from the usual addition of *-in* to the masculine form.

# Contents

# Ich meine...

| Einfache Ausdrücke | Simple Expressions | A |
|---|---|---|

### 1 Ideen ordnen

*Ordering Ideas*

| | |
|---|---|
| erstens, zunächst | first/ly |
| zweitens | secondly |
| am Anfang | initially |
| später | later |
| schließlich | finally |
| von vorn | from scratch, from the beginning |
| endlich | at last |
| zum Abschluß | in conclusion |

### 2 Ideen hinzufügen

*Adding Ideas*

| | |
|---|---|
| auch | also |
| dazu | in addition |
| nicht nur . . . , sondern auch . . . | not only . . . , but also . . . |
| außerdem | moreover |
| übrigens | incidentally, by the way |
| und dazu kommt noch, daß . . .<br>weiter | and, what is more, . . . |
| sowie | as well as |
| natürlich | of course |

### 3 Beispiele geben

*Giving Examples*

| | |
|---|---|
| zum Beispiel (z.B.)<br>beispielsweise | for example (e.g.) |
| bekanntlich | as it is known |
| folgendermaßen | as follows |
| das heißt (d.h.) | that is (i.e.) |
| wie | such as |
| es stimmt, daß . . . | it is true that . . . |
| in diesem Zusammenhang | in this context |
| nämlich | viz., namely |

### 4 Ursache und Wirkung

*Cause and Effect*

| | |
|---|---|
| folglich | consequently |
| dadurch | in that way, because of that |
| deshalb<br>deswegen | that is why |

| | |
|---|---|
| folglich | as a result |
| daher | thus |
| also | therefore, so |
| um so mehr, als | all the more so because |
| da, weil | since, as |
| schon weil ... | if only because ... |
| schon die Tatsache, daß ... | the very fact that ... |
| solange | so long as |
| soweit ich weiß | so far as I know |

## 5 Aspekte betonen

*Emphasising Certain Aspects*

| | |
|---|---|
| ausgerechnet wenn/als | just when |
| ausgerechnet er | he of all people |
| vor allem | above all, notably |
| ausnahmslos / durchaus | without exception |
| äußerst | extremely |
| ganz und gar | completely, utterly |
| bei weitem (das beste) | by far and away (the best) |
| bei weitem (nicht so gut wie) | nowhere near (as good as) |
| in jeder Hinsicht | in every respect |
| keineswegs | not at all, not in the least |
| eben / halt | just, simply |
| besonders / zumal | in particular |
| genau das | especially this |
| hauptsächlich | notably, mainly |
| noch (bedeutender) | (even) more (significantly) |
| um so mehr, als | all the more, considering/as |
| um so wichtiger | all the more important |
| sogar | even (*intensifier*) |
| möglichst (bald) | as (soon) as possible |
| (das mußt du) unbedingt (machen) | (you) really (must do that) |
| völlig / vollkommen | completely |

## 6 Zweifel ausdrücken

*Expressing Reservations*

| | |
|---|---|
| abgesehen davon, daß ... | quite apart from the fact that ... |
| allenfalls / bestenfalls | at best |
| allerdings | even so / mind you |
| bis zu einem gewissen Grade / einigermaßen | to some extent |
| gewißermaßen | in a way |
| kaum | hardly |
| keinesfalls | under no circumstances |

| lediglich | merely, simply |
| praktisch / quasi | virtual(-ly) |
| relativ | relatively |
| selbst wenn | even if |
| teilweise | partly |
| vermutlich | presumably |
| auf den ersten Blick | at first sight |

## 7 Ideen vergleichen — *Comparing Ideas*

| genauso | just the same |
| genauso wichtig | just as important |
| ähnlich *(+Dat)* | similar to, like |
| ebenso | likewise |
| so wie | as well as |
| im Vergleich zu / verglichen mit *(+Dat)* | (when) compared with |

## 8 der andere Standpunkt — *Contrasting Opinion*

| in Wirklichkeit | in reality, in actual fact |
| aber/ jedoch | however |
| trotzdem | yet, despite this |
| trotz *(+Gen or Dat)* | in spite of |
| außer *(+Dat)* | apart from |
| immerhin | all the same |
| in der Tat | in fact |
| zugegeben / zwar | admittedly |
| doch | however/though/ (and to contradict negative question) |
| da haben Sie schon recht, aber *(inf)* | you *are* right there, but ... |
| wohl, aber ... | that may well be, but ... |
| wer das glaubt, ... | anyone who believes that ... |
| als Alternative | alternatively |
| im Gegenteil | on the contrary |
| einerseits | on the one hand |
| andererseits | on the other hand |
| auf der einen/anderen Seite | on the one/other hand |
| mag sein, aber ... *(inf)* | that may well be, but ... |
| in Wirklichkeit | in reality, in fact |
| obwohl | although |
| überhaupt | anyway |
| trotzdem / dennoch | nevertheless |
| was ... angeht, | as for ..., |

| | |
|---|---|
| trotzdem, . . . | still, . . . |
| statt dessen | instead |
| während | whereas |
| sonst | otherwise |
| es kann sein, daß . . . | it may be true that . . . |
| egal ob . . . | it doesn't matter whether . . . |
| dabei | at the same time / into the bargain |
| problematisch dabei ist . . . | the problem with it is . . . |
| dafür | in return |
| dagegen | on the other hand |
| freilich | admittedly |

### 9 Meinung äußern/Schluß ziehen

*Giving Opinion/Conclusion*

| | |
|---|---|
| natürlich selbstverständlich } | of course |
| zweifellos | doubtless |
| ohne Zweifel | undeniably |
| klar | clearly |
| sicher | certainly |
| es steht fest, daß . . . | it is certain that . . . |
| es liegt auf der Hand, daß . . . es versteht sich von selbst, daß . . . } | it is obvious that . . . |
| es geht um (+Acc) | it is a question of sth. |
| es geht darum, ob . . . | it is a question of whether . . . |
| kurz gesagt | in brief |
| kurz und gut | in a nutshell |
| im großen und ganzen | on the whole |
| größtenteils | in the main |
| im allgemeinen | in general |
| im Grunde | basically |
| in der Regel | as a rule |
| zum Schluß | in conclusion |
| es scheint, als ob . . . | it would seem that . . . |
| es ist alles andere als . . . | it is anything but . . . |
| offensichtlich | evidently |
| schlicht und einfach | plainly and simply |
| ich schlage vor, (daß . . .) | I suggest (that . . .) |
| glücklicherweise | fortunately |
| leider | unfortunately |
| es ist schade, daß . . . | it is a pity that . . . |
| es ist unbegreiflich, daß . . . | it is inconceivable that . . . |
| ohnehin | anyway |
| ehrlich gesagt | to be honest with you |

### 10 Weitere nützliche Ausdrücke

Other Useful Phrases

| | |
|---|---|
| an sich | actually, on the whole |
| dadurch | in that way, because of that |
| dafür | in return, in exchange |
| gelegentlich | occasionally |
| leider | unfortunately |
| irgend jemand | someone or other |
| irgendwann | (at) some time or other |
| irgendwas | something (or other) |
| irgendwie | somehow (or other) |
| irgendwo(-hin) | (to) somewhere or other |
| längst | for a long time, a long time ago |
| meistens | mostly, more often than not |
| mindestens | at least |
| neulich | recently |
| normalerweise | usually |
| ohne weiteres | straight away, without a second thought |
| sozusagen | so to speak |
| stellenweise | in places, here and there |
| teilweise | partly, in part |
| übrigens | incidentally |
| unerhört | incredible, outrageous |
| ungewöhnlich | unusual(-ly) |
| vermutlich | presumably |
| vielleicht | perhaps |
| wahrscheinlich | probably |
| weitgehend | far-reaching |

## Längere Ausdrücke

## Longer Phrases

**B**

### 1 Einleitung

Introduction

| | |
|---|---|
| ist das zu rechtfertigen? | can this be justified? |
| das pro und contra | the pros and cons |
| angenommen, daß ... | assuming that ... |
| in vielen Beziehungen | in many respects |
| man gewinnt häufig den Eindruck, daß ... | one often gets the impression that ... |
| man könnte meinen, daß ... | one might think that ... |
| gehen wir davon aus, daß ... | let's assume that ... |
| es wird zu oft von anderen Themen in den Hintergrund gedrängt | it is often pushed into the background by other issues |
| es ist zum Thema geworden | it has become an issue |
| ein umstrittenes Thema | a controversial issue |
| eine heikle Frage | a thorny question |

| | |
|---|---|
| ein nicht zu unterschätzendes Problem | a problem which should not be underestimated |
| es geht uns alle an | it concerns us all |
| eine heftige öffentliche Diskussion auslösen | to arouse intense public debate |
| die Meinungen über ... (+Acc) gehen weit auseinander | opinions about ... differ widely |
| alle sind sich darüber einig, daß ... | everyone is agreed that... |
| die Auseinandersetzung über ... (+Acc) | the argument about ... |
| wir müssen uns damit auseinandersetzen, was ... | we must tackle the problem of what... |

## 2 These — *Arguments For*

| | |
|---|---|
| wir dürfen nicht vergessen, daß ... | we must not forget that... |
| was Sorgen bereiten sollte, ist ... | what should cause concern is... |
| die Folgen werden leicht unterschätzt | it is easy to underestimate the consequences |
| es ist leicht zu ersehen, daß ... | it is easy to see that... |
| es wird zunehmend erkannt, daß ... | it is increasingly being recognised that... |
| das muß man als wichtiges Anliegen erkennen | this must be recognised as an important area of concern |
| etwas stimmt nicht mit ... (+Dat) | there's something wrong with... |
| das Problem hat beängstigende Ausmaße erreicht | the problem has reached worrying proportions |
| die Lage wird schlechter | the situation is getting worse |
| – erregt weiterhin Besorgnis (-se) | – continues to cause concern |
| – wird durch ... erschwert | – is made worse by... |
| vom politischem Standpunkt aus gesehen | from the political point of view |
| es ist nicht zu leugnen, daß ... | one cannot deny that... |
| das Auffallende ist, daß ... | the striking thing is that... |
| wir legen zu viel Wert auf (+Acc) | we attach too much importance to... |
| dank (+Gen or Dat) | thanks to |
| darauf wollen wir später zurückkommen | we shall return to this later |
| auf Widerstand stoßen (ö-ie-o) | to meet with resistance |
| auf viel Kritik stoßen (ö-ie-o) | to encounter a great deal of criticism |

## 3 Antithese — *Arguments Against*

| | |
|---|---|
| er geht von falschen Voraussetzungen aus | he is arguing from false assumptions |
| die Sache hat einen Haken | there is a snag |
| wenn wir es genauer betrachten | if we look at it more closely |

| | |
|---|---|
| man könnte meinen, ... daß ... | one might think that ... |
| ganz abgesehen von (+*Dat*) | quite apart from ... |
| wir können uns der Tatsache nicht verschließen, daß ... | we cannot ignore the fact that ... |
| im Gegenteil | on the contrary |
| einer (*Dat*) Sache im Weg stehen | to be a stumbling block |
| der Sündenbock | scapegoat |
| das ist nur selten der Fall | that is only rarely the case |
| es fehlt oft an (+*Dat*) | there is often a lack of |
| es kann leicht vorkommen, daß ... | it can easily happen that ... |
| das gilt auch für ... | the same is also true of ... |
| man muß darauf hinweisen, daß ... | one must point out that ... |
| es erwies sich als falsch | it turned out to be wrong |
| das sollte man mit einem gewissen Argwohn betrachten | one should view this with some mistrust |
| es gibt keinen Anlaß zu ... | there are no grounds for ... |
| das ist zum Scheitern verurteilt | it is condemned to failure |
| wir dürfen nicht vergessen, daß ... | we must bear in mind that ... |
| die Gründe sind noch nicht endgültig erklärt | the reasons have not been fully explained |
| dies will nicht heißen, daß ... | this does not mean that ... |
| geschweige denn | not to mention |
| allerdings sollte man | however, we should |
| man könnte annehmen, daß ... | it might be assumed that ... |

## 4 Gründe geben — Giving Reasons

| | |
|---|---|
| das hat zur Folge, (daß ...) | the effect of that (is that ...) |
| die Zahl wird auf ... geschätzt | the number is estimated at ... |
| es wird geschätzt, daß ... | it is estimated that ... |
| es ist erwiesen, daß ... | it is a proven fact that ... |
| nach fachmännischen Schätzungen | according to expert estimates |
| nach dem Bundeskanzler | according to the Prime Minister |
| laut (+*Gen or Dat*) Gesetz | according to the law |
| aus folgenden Gründen | for the following reasons |
| aus politischen Gründen | for political reasons |
| aus diesem Grund | for that reason |
| wie oben erwähnt | as mentioned above |
| die Statistik macht deutlich, daß ... | the statistics show clearly that ... |
| in dieser Hinsicht | in this respect |
| in mancher Hinsicht | in many respects |
| gelten (i-a-o) für | to be true of |
| man vergleiche | let us compare |
| um ein einziges Beispiel zu nennen | to take a single example |

## 5 Schlußfolgerungen ziehen

*Drawing Conclusions*

| | |
|---|---|
| man kommt unweigerlich zu dem Schluß, daß ... | one is forced to the conclusion that ... |
| ich bin davon überzeugt, daß ... | I am convinced that ... |
| aus diesem Grund | for this reason |
| vor allem | above all |
| wenn man alles in Betracht zieht } alles in allem | all things considered |
| die Stichhaltigkeit des Arguments | the validity of the argument |
| die Aufgabe ist, ... | the task is, ... |
| um dieses Ziel zu erreichen | to achieve this goal |
| ein Ziel im Auge behalten | to keep an aim in mind |
| einfache Lösungen gibt es nicht | there are no easy solutions |
| wir können uns dem Problem nicht verschließen | we cannot ignore the problem |
| diese Einzelmaßnahmen müssen mit ... (+Dat) gekoppelt sein | these individual measures must be linked to ... |
| um diesen Gefahren vorzubeugen | in order to avert these dangers |
| die richtigen Prioritäten setzen | to get one's priorities right |
| das ist erst möglich, wenn ... | that is only possible if ... |
| es verlangt eine Umstellung unserer Einstellungen | it demands a change in our attitudes |
| ich bin der Ansicht, daß ... | I think that ... |
| es bleibt uns nichts übrig, als ... | we have no alternative but to ... |
| man sollte sich vor Augen halten, daß ... | we should not lose sight of the fact that ... |
| das Entscheidende dabei ist ... | the decisive factor in this is ... |

# Menschliche Beziehungen

## Die Liebe

| | |
|---|---|
| jn. auf einer Party kennenlernen | to meet s.o. at a party |
| sich in jn. verlieben | to fall in love with s.o. |
| sich bis über beide Ohren in jn. verlieben | to fall head over heels in love |
| die Liebe auf den ersten Blick | love at first sight |
| sich in jn. vernarren | to become infatuated with |
| flirten | to flirt |
| jn. um den kleinen Finger wickeln | to wrap s.o. round one's little finger |
| jn. anquatschen | to chat s.o. up |
| ein Mädchen ansprechen | to talk to a girl |
| anziehend, reizend | attractive |
| mit jm. ausgehen | to go out with |
| mit jm. Schluß machen | to finish with |
| sich einen Korb holen | to get the push |

**Love**

A

## Die Ehe

| | |
|---|---|
| ledig | single |
| verheiratet | married |
| sich verloben mit | to get engaged to |
| die Verlobung | engagement |
| heiraten | to get married |
| die Hochzeit | wedding |
| die standesamtliche Trauung | civil ceremony |
| die Braut | bride |
| der Bräutigam | groom |
| das Ehepaar (-e) | married couple |
| der Ehemann (¨er) | husband |
| die Ehefrau (-en) | wife |
| der Polterabend | pre-wedding party |
| zusammenleben | to live together |
| mit jm. schlafen | to make love |
| das gegenseitige Verständnis | mutual understanding |
| sich verstehen | to get on well with each other |
| die Gemeinsamkeit | common ground |
| sie haben vieles gemeinsam | they have a lot in common |
| man soll über alles sprechen können | you should be able to talk about everything |

**Marriage**

B

| die Zärtlichkeit | tenderness |
| das Vertrauen | trust |

## Trennung, Scheidung, Tod

## Separation, Divorce, Death

| er will sich nicht gebunden fühlen | he doesn't want any ties |
| der Seitensprung | affair outside marriage |
| fremdgehen | to have affairs |
| sie leben getrennt | they live apart |
| Ehebruch begehen | to commit adultery |
| ihre Ehe ging in die Brüche | their marriage broke up |
| die Scheidung | divorce |
| sich scheiden lassen | to get divorced |
| der Scheidungsprozeß | divorce proceedings |
| er ist geschieden | he is divorced |
| die hohe Scheidungsrate | high divorce rate |
| die Eheberatung | marriage guidance (counselling) |
| auf jn. eifersüchtig sein | to feel jealous of s.o. |
| sie passen nicht zusammen/ zueinander | they're incompatible |
| aufgrund der Unvereinbarkeit der Charaktere | on grounds of incompatability |
| sie hat ein Kind aus erster Ehe | she has a child from her first marriage |
| der Alleinerzieher | single parent |
| die alleinstehende Mutter | single mother |
| der alleinstehende Vater | single father |
| die Einelternfamilie (-n) | single-parent family |
| die meisten Geschiedenen heiraten erneut | most divorced people remarry |
| die Promiskuität | promiscuity |
| häufig den Partner wechseln | to be promiscuous |
| die Witwe/der Witwer | widow/widower |
| die Beerdigung | funeral |
| um jn. trauern | to be in mourning |
| zur Waise werden | to be orphaned |
| die Pflegeeltern | foster parents |

## Die Schwangerschaft

## Pregnancy

| empfangen | to conceive |
| der Mutterschaftsurlaub | maternity leave |
| gebären (ie-a-o) | to give birth to |
| sie bekommt ein Kind | she's having a baby |
| die Empfängnisverhütung | contraception |
| die (Antibaby-)Pille | contraceptive pill |

| | |
|---|---|
| der/das Kondom (-e) | condom |
| schwanger | pregnant |
| der Schwangerschaftstest | pregnancy test |
| eine (un-)erwünschte Schwangerschaft | an (un)wanted pregnancy |
| der Fötus | foetus |
| die Abtreibung | |
| der Schwangerschaftsabbruch } | abortion |
| ein Baby abtreiben lassen | to have an abortion |
| das Retortenbaby | test tube baby |

## Die Familie / The Family

| | |
|---|---|
| die Kleinfamilie (-n) | small (nuclear) family |
| die Großfamilie (-n) | extended family |
| die Verwandtschaft | family (all relatives) |
| der Elternteil (sing) | parent |
| die Eltern (pl) | parents |
| der/die Erwachsene (adj. noun) | grown-up, adult |
| die Zwillinge (pl) | twins |
| der Schwager (-̈) | brother-in-law |
| die Schwägerin (-nen) | sister-in-law |
| die Schwiegereltern (pl) | in-laws |
| ein Kind erziehen | to bring up a child |
| ein Baby stillen | to breast feed a baby |
| die Kinderjahre (pl) | years of childhood |
| vom Kind auf | from childhood |
| das gehört zu den Kindheitserinnerungen | that's part of one's childhood memories |
| im Kindesalter | at an early age |
| die Kindesmißhandlung | child abuse |
| der/die Pate/Patin | godfather, godmother |
| taufen | to christen |
| die Konfirmation | confirmation |
| der/die Erziehungsberechtigte (adj.noun) | parent, legal guardian |
| die Kinderpflegerin (-nen) | nanny |
| die Tagesmutter | childminder |
| kindgemäß | suitable for children |
| der Sportwagen (-) | push-chair, buggy |
| die Schaffung emotionaler Geborgenheit | the creation of a sense of emotional security |
| das gefühlsmäßige Anklammern der Mutter an die Kinder | the mother's inability to let the children go emotionally |
| die Verantwortung für Entscheidungen teilen | to share responsibility for decisions |
| mehr Ehen als früher bleiben kinderlos | more marriages remain childless than in the past |

19

| das liegt in der Familie | it runs in the family |
|---|---|
| ein Kind erziehen | to bring up a child |
| streng | strict |
| autoritär | authoritarian |
| ein Kind verwöhnen | to spoil a child |
| die permissive Gesellschaft | permissive society |
| wer mit der Rute spart, verzieht das Kind | spare the rod and spoil the child |
| sie ist ein gut erzogenes Kind | she's a well brought up child |
| man soll Kinder zur Höflichkeit erziehen | children should be taught good manners |
| was für eine Beziehung hat er zu seinem Vater? | what sort of relationship does he have with his father? |

## Die Persönlichkeit

## Character

### I Positives

Positive Aspects

| einen guten Eindruck machen | to make a good impression |
|---|---|
| anpassungsfähig | adaptable |
| der Altruismus | altruism |
| treu/die Treue | faithful/ness, loyal/ty |
| kinderlieb | fond of children |
| großzügig/die Großzügigkeit | generous/generosity |
| ehrlich/die Ehrlichkeit | honest/y |
| selbständig/ die Selbständigkeit | independent/independence |
| liebenswürdig/die Liebenswürdigkeit | kind/ness |
| er ist lebensfroh | he enjoys life |
| gehorsam/der Gehorsam | obedient, obedience |
| offen/die Offenheit | open/ness |
| bescheiden/die Bescheidenheit | modest/y |
| geduldig/die Geduld | patient/patience |
| unternehmungslustig | enterprising, adventurous |
| zuverlässig/die Zuverlässigkeit | reliable/reliability |
| zurückhaltend | reserved |
| verantwortungsbewußt | responsible |
| sparsam/die Sparsamkeit | thrifty/thriftiness |
| ruhig | calm |
| kontaktfreudig | outgoing |
| extravertiert | extrovert |
| gut angepaßt | well-adjusted |
| lebhaft, temperamentvoll | lively, vivacious |
| der Ehrgeiz/ehrgeizig | ambition/ambitious |

## 2 Negatives

*Negative Aspects*

| | |
|---|---|
| aggressiv | aggressive |
| arrogant/die Arroganz | arrogant, arrogance |
| knurrig | cantankerous,grumpy |
| anstrengend | demanding |
| deprimiert | depressed |
| unehrlich/die Unehrlichkeit | dishonest/y |
| ungehorsam/der Ungehorsam | disobedient/disobedience |
| wankelmütig/die Wankelmütigkeit | fickle/ness |
| verklemmt | inhibited |
| die Hemmungen | inhibitions |
| er nimmt sich selbst ernst | he takes himself seriously |
| verantwortungslos | irresponsible |
| reizbar | irritable |
| boshaft | malicious |
| geizig | mean (=miserly) |
| gemein | mean (=unkind) |
| egoistisch/der Egoismus | selfish/ness |
| angespannt | tense |
| verschlossen | withdrawn |
| schüchtern | shy |

## Eltern und Teenager

## Parents and Teenagers

### 1 Teenager über Eltern

*Teenagers on Parents*

| | |
|---|---|
| sie hält ihre Eltern für | she considers her parents to be |
| – altmodisch | – old-fashioned |
| – verkalkt (inf), muffelig (inf) | – senile, fuddy-duddy, grumpy |
| – naiv | – naive |
| – engstirnig | – narrow-minded |
| – heuchlerisch | – hypocritical |
| – wohlmeinend | – well-meaning |
| – voreingenommen (gegen) | – prejudiced (against) |
| sie hat geschimpft, weil ich . . . | she told me off, because I . . . |
| er geht mir auf die Nerven | he gets on my nerves |
| meine Eltern bestehen darauf, daß . . . | my parents insist that . . . |
| er kommt mit seinem Vater schlecht aus | he doesn't get on with his father |
| sie können sich in meine Lage versetzen | they can put themselves in my shoes |
| ich kann mit ihnen über nichts reden | I can't talk to them about anything |
| aufgeschlossen | open-minded |
| kompromißbereit | ready to compromise |
| sie verstehen sich gut | they get on well together |

| | |
|---|---|
| vorwurfsvoll | reproachful |
| strafen | to punish |
| ich komme nur schwer mit . . . zurecht | I find it hard to cope with . . . |
| sie nörgeln immer an mir herum | they're always nagging me |
| in den frühen Morgenstunden | in the small hours |
| kleinliche Vorschriften | petty rules |
| anständig | respectable |
| Respekt zeigen vor (+Dat) | to respect |
| man muß Respekt vor Älteren haben | you must respect your elders |

## 2 Eltern über Teenager — *Parents on Teenagers*

| | |
|---|---|
| er ist total verdreht | he's all mixed up |
| deprimiert | depressed |
| die Emotionen, Empfindungen | feelings, emotions |
| lügen | to tell lies |
| unsicher | insecure |
| niedergeschlagen sein | to feel low |
| gleichgültig | indifferent |
| apathisch | apathetic |
| sich in seiner Haut nicht wohl fühlen | to feel ill at ease |
| die Clique | one's group of friends |
| alles in Frage stellen | to question everything |
| die Autorität in Frage stellen | to challenge authority |
| sie malt alles schwarzweiß | she paints everything black and white |
| aus dem eigenen Schaden lernen | to learn the hard way |
| du willst das eine haben und das andere nicht lassen | you want it both ways |
| sich schlecht benehmen | to behave badly |
| fluchen | to use bad language, to swear |
| jn. beschimpfen | to swear at s.o. |
| das ist einzig und allein meine Sache | that's a matter for me alone |
| auf die schiefe Bahn geraten | to go off the rails |
| sich sonderbar kleiden | to dress outlandishly |
| sich über etw./jn. lustig machen | to make fun of sth./s.o. |
| kultiviert, fein | sophisticated, refined |
| gebildet | well-bred, educated |
| asozial | antisocial |
| unmoralisch | immoral |
| ungezogen | ill-mannered |
| gute Manieren haben | to have good manners |
| lächerlich | ludicrous, ridiculous |

### 3 der Konflikt

*Conflict*

| | |
|---|---|
| minderjährig | under-age |
| Eltern haften für ihre Kinder | parents are responsible for their children |
| Rechte und Pflichten | rights and responsibilities |
| viel Wind um etwas machen | to make a fuss |
| viel Lärm um nichts | a storm in a teacup |
| mit etw. böse werden | to get angry at sth. |
| auf jn. böse werden | to get angry with s.o. |
| wütend reagieren | to react angrily |
| die Beherrschung verlieren | to lose one's temper |
| sie reden nicht mehr miteinander | they're not talking to one another |
| sie haben sich gestritten | they've had a quarrel, argument |
| es gibt Krach wegen . . . | there's trouble about . . . |
| wir stimmen nicht überein | we don't agree |
| sie gehen in die Luft (*inf*) | they fly off the handle |
| es steht eine unsichtbare Wand zwischen mir und meinen Eltern | there's an invisible wall between me and my parents |
| meckern | to moan, grumble |
| ärgern | to annoy |
| beleidigen | to insult |
| bei etw. (+*Dat*) ein Auge zudrücken | to turn a blind eye to sth. |
| sie geht mir auf die Nerven | she gets on my nerves |
| zugeben | to concede |
| jn. reizen | to provoke s.o. |
| seinen Willen durchsetzen | to get one's own way |
| wir überlegen Probleme gemeinsam | we talk problems over together |
| ein Problem in einem offenen Gespräch lösen | to deal with a problem openly |
| laß uns offen reden | let's be open about this |
| sich wieder vertragen | to make it up |

# Die Gesundheit

## A

### Der Gesunde Mensch

### The Healthy Person

| | |
|---|---|
| die preventative/kurative Medizin | preventative/curative medicine |
| vorbeugen ist besser als heilen | prevention is better than cure |
| das Gesundheitswesen | Health Service |
| die Krankenversicherung | health insurance |
| die Körperpflege | personal hygiene |
| sich fit halten | to keep fit |
| er bekommt nicht genug Bewegung | he doesn't get enough exercise |
| das gesunde Essen | healthy diet |
| gesund sein | to be in good health |
| eine Kur machen | to go on a health cure |
| einen Check-up machen lassen | to go for a check-up |
| der Kurort (e) | health resort |
| der Keep-fit Verein (e) | health-club |
| abnehmen | to lose weight |
| zunehmen | to put on weight |
| eine Schlankheitskur machen | to go on a diet |
| sich wohl/nicht wohl fühlen | to feel well/ill |
| die Periode (-n) | period |
| die Menstruationsbeschwerden (pl) | period pains |
| die Frauenklinik (-en) | well-woman clinic |

## B

### Körperliche Krankheiten

### Physical Illnesses

| | |
|---|---|
| eine Untersuchung machen lassen | to go for a medical examination |
| entdecken | to bring to light, detect |
| behandeln | to treat |
| heilen | to cure |
| sich erholen | to recover |
| angeschlagen sein | to be under the weather |
| der Virus (pl Viren) ⎫ der Erreger (-) ⎭ | virus |
| der Keim (-e) | germ |
| die Epidemie (-n) | epidemic |
| ansteckend | infectious, contagious |
| die Tropenkrankheit (-en) | tropical disease |
| sich (Dat) . . . holen | to catch . . . |

| | |
|---|---|
| sich erkälten | to catch cold |
| krank werden } erkranken | to fall ill |
| leiden (ei-litt-gelitten) an (+*Dat*) | to suffer from |
| schmerzhaft | painful |
| verunglücken | to have an accident |
| bei einem Unfall verletzt | injured in an accident |
| die Wunde (-*n*) | wound |
| ohnmächtig werden | to faint |
| der (Körper-)Behinderte (*adj. noun*) | (physically) disabled person |
| blind | blind |
| taub | deaf |
| stumm | dumb |

## Die Medizinische Behandlung

## Medical Treatment

C

| | |
|---|---|
| der/die praktische Arzt/Ärztin | general practitioner |
| der/die Facharzt/ärztin | specialist |
| der Chirurg (-*en*) | surgeon |
| die Krankenschwester (-*n*) | nurse |
| der Krankenpfleger (-) | (male) nurse |
| die Hebamme (-*n*) | midwife |
| einen Arzt holen | to call a doctor |
| Schmerzen (*pl*) lindern | to relieve pain |
| verschreiben | to prescribe |
| das Rezept (-*e*) | prescription |
| die Tablette (-*n*) | pill, tablet |
| die Dosis | dose |
| die Medikamente (*pl*) } die Arzneimittel (*pl*) | medication, drugs |
| das Schmerzmittel (-) | pain-killer, analgesic |
| es hat seine Schattenseite | it has its drawbacks |
| die Schutzimpfung (-*en*) | vaccination |
| geimpft werden | to have a vaccination |
| jn. beatmen | to give s.o. artificial respiration |
| operiert werden | to have an operation |
| die Vollnarkose | general anaesthetic |
| die örtliche Betäubung | local anaesthetic |
| narkotisieren, betäuben | to anaesthetise |
| der Operationssaal (-*säle*) | operating theatre |
| die Blutübertragung (-*en*) | blood transfusion |
| jn. ans Bett fesseln | to confine s.o. to bed |
| der Rollstuhl (-̈*e*) | wheelchair |
| die Intensivstation | intensive care unit |

25

**D**

## Der Altersprozeß

| | |
|---|---|
| alt werden | to age |
| nachlassende Kräfte | failing powers |
| im Vollbesitz seiner geistigen Kräfte | in full possession of one's mental faculties |
| Kreislaufstörungen (pl) | circulation/heart disorders |
| die Herzkrankheit | heart disease |
| herzkrank sein | to have a heart complaint |
| an einem Herzinfarkt sterben | to die of a heart attack |
| der Krebs | cancer |
| die Strahlungtherapie | radio therapy |
| bösartig | malignant |
| der Bluthochdruck | high blood pressure |
| krebserregend | carcinogenic |
| die Todesrate unter (+Dat) . . . | the death rate among . . . |
| die Lebenserwartung | life-expectancy |
| dem Kranken ist nicht mehr zu helfen | the patient is beyond help |
| unheilbar | terminally ill |
| den Hirntod feststellen | to establish that s.o. is brain dead |
| die Sterbehilfe | euthanasia |
| jn. künstlich am Leben erhalten | to keep s.o. alive artificially |
| jm. zum Selbstmord verhelfen | to help s.o. to commit suicide |
| das Leiden unnötig verlängern | to prolong suffering unnecessarily |
| um das Leben kämpfen | to fight to keep s.o. alive |
| der menschenwürdige Lebensabschluß | a humane end to one's life |
| die Grauzone (-n) | grey area (of law, morality) |

## The Aging Process

**E**

## Psychische Probleme

| | |
|---|---|
| im Stress (masc) sein | to be stressed |
| an Schlaflosigkeit leiden | to suffer from insomnia |
| geisteskrank | mentally ill |
| psychisch | emotional, psychological |
| psychisch gestört | emotionally disturbed |
| die Depression (-en) | depression |
| deprimiert sein | to be depressed |
| die Magersucht | anorexia |
| der/die Psychiater/in | psychiatrist |
| die Nerven (pl) | nerves |
| Nervenmittel nehmen | to take tranquillisers |
| mit den Nerven völlig am Ende sein | to be a nervous wreck |
| einen Nervenzusammenbruch erleiden | to have a nervous breakdown |
| das Leben nicht verkraften können | to feel unable to face life |

## Psychological Problems

| Selbstmord begehen | to commit suicide |
| ausweglos | hopeless |
| verzweifelt sein | to feel desperate |
| die Telefonseelsorge | the Samaritans |

## Das Rauchen / Smoking

| der Nichtraucher (-) | non-smoker |
| inhalieren | to inhale |
| der Kettenraucher | chain-smoker |
| außer Atem kommen | to get out of breath |
| der Raucherhusten | smoker's cough |
| das Mitrauchen | passive smoking |
| das Nikotin | nicotine |
| nikotingelb | nicotine stained |
| der Teer | tar |
| die Lunge (-n) | lung |
| seine Gesundheit schädigen | to damage one's health |
| seine Unsicherheit überspielen | to hide one's insecurity |
| sich (Dat) das Rauchen abgewöhnen | to give up smoking |
| die Werbung einschränken | to restrict advertising |

## Der Alkoholkonsum / Alcohol Consumption

| die Reflexe lassen nach | one's reflexes slow down |
| sich betrinken | to get drunk |
| besoffen, betrunken | drunk |
| blau wie ein Veilchen | drunk as a lord |
| die Trunksucht | alcoholism |
| Alkoholiker sein | to be an alcoholic |
| der Kater | hangover |
| noch eins zum Abgewöhnen | one for the road |
| die Trunkenheit am Steuer | drunken driving |
| einen Unfall verursachen | to cause an accident |
| in die Tüte blasen | to take a breath test |
| der Blutalkoholspiegel | blood-alcohol level |
| die Promillegrenze | the legal alcohol limit |
| die Anhebung der Alkoholsteuer | raising the tax on alcohol |
| die Aufklärung | education campaign |

## AIDS / AIDS

| das menschliche Abwehrsystem | the human immune system |
| zusammenbrechen | to break down |
| der Virus (pl. Viren) | virus |
| durch Blut übertragen | to transmit by blood |

| | |
|---|---|
| die Zeit von der Ansteckung bis zum Auftreten der Krankheit | the time from infection to the appearance of the disease |
| an AIDS erkrankt | ill with AIDS |
| sich verbreiten (*v.itr.*) | to spread |
| der/die Homosexuelle (*adj. noun*) | homosexual, lesbian |
| der Geschlechtsverkehr | sexual intercourse |

## Die Drogen

## Drugs

| | |
|---|---|
| die Droge (-*n*) }<br>das Rauschgift (-*e*) } | drugs (addictive) |
| die Flucht | a means of escape |
| der Drogenmißbrauch | drug abuse |
| stumpfsinnig | humdrum, monotonous |
| aussteigen | to drop out |
| aus Neugierde | from curiosity |
| eine weiche Droge | soft drug |
| der Cannabis, das 'Gras' | cannabis, 'pot' |
| auf harte Drogen umsteigen | to move on to hard drugs |
| das Kokain | cocaine |
| das Heroin | heroin |
| sich einspritzen | to inject o.s. |
| schnüffeln }<br>einziehen } | to sniff (drugs) |
| Euphoriegefühle erzeugen | to produce feelings of euphoria |
| der Dealer, Pusher | dealer, pusher |
| der Rauschgifthandel | drugs trafficking |
| beschlagnahmen | to confiscate |
| legalisieren | to legalise |
| heroinsüchtig werden | to become addicted to heroin |
| zur Abhängigkeit führen | to cause addiction |
| der Rauschgiftsüchtige (*adj. noun*) }<br>der Drogenabhängige (*adj. noun*) } | drug addict |
| eine tödliche Dosis | a fatal dose |
| die Wiedereingliederung | rehabilitation |
| das Rehabilitationszentrum (*pl* -zentren) | rehabilitation centre |
| vom Kokain runterkommen (*inf*) | to kick cocaine |
| aufgeben | to give up |
| die Entziehungskur | cure |
| die Entzugserscheinungen (*pl*) | withdrawal symptoms |
| zittern | to shake, shiver |
| rückfällig werden | to go back (onto drugs) |

# Die Medien

## Der Rundfunk

## Broadcasting

### 1 Die Technik

*Technology*

| | |
|---|---|
| der Hörfunk | radio |
| das Fernsehen | television (the medium) |
| der Fernsehapparat | |
| der Fernseher | television (set) |
| die Glotzkiste (*inf*) | goggle box |
| der Bildschirm (-e) | screen |
| einschalten | to switch on |
| ausschalten | to switch off |
| der Videorekorder | video recorder |
| aufzeichnen | |
| aufnehmen | to record |
| die Aufnahme (-n) | recording |
| die bespielte Kassette (-n) | pre-recorded cassette |
| der Video-/Bildschirmtext | teletext |
| das Satellitenfernsehen | satellite television |
| die Parabolantenne (-n) | satellite dish |
| empfangen | to record |
| das Kabelfernsehen | cable television |
| über Kabel übertragen | to transmit by cable |
| die Fernsteuerung | remote control |
| der Sender (-) | station |
| der Kanal (-̈e) | channel |
| das Programm (-e) | channel, programme guide |
| ausstrahlen | to broadcast |
| die Sendung (-en) | broadcast, programme |
| auf regionaler Ebene | on a regional level |
| die Lokalradio-Station (-en) | local radio station |

### 2 Die Programmgestaltung

*Programme planning*

| | |
|---|---|
| der Zuschauer (-) | viewer (*pl:* also audience) |
| der Zuhörer (-) | listener (*pl:* also audience) |
| unterhalten (*insep*) | to entertain |
| was kommt heute abend im Fernsehen? | what's on television this evening? |
| die Unterhaltungssendung (-en) | light entertainment programme |
| die Fernsehserie (-n) | soap opera |
| die Dokumentarsendung (-en) | documentary |

29

| das Schulfernsehen | broadcasting for schools |
| der Spielfilm (-e) | feature film |
| der Zeichentrickfilm (-e) | cartoon |
| synchronisiert | dubbed |
| mit Untertiteln | with subtitles |
| die aktuelle Sendung | current affairs programme |
| die Nachrichtensendung (-en) | news |
| der Tagesschau | |
| „Sie hören Nachrichten" | "Here is the news" (radio) |
| der Nachrichtensprecher (-) | newsreader |
| der Ansager (-) | announcer |
| der Überblick | summary |
| uralt | ancient |
| die Wiederholung (-en) | repeat |
| zum x-ten Mal | for the n-th time |
| Live-Sendungen lassen den Zuschauer am aktuellen Geschehen teilhaben | live broadcasts allow the viewer to keep up with events as they happen |
| Lehr- | educational |
| Kultur- | cultural |
| vorführen | to show |
| ein erweitertes Angebot von Sendungen | a greater range of programmes |
| die Vielfalt | great variety |

### 3 Probleme

*Problems*

| sie verherrlichen die Gewalt | they glorify violence |
| gewaltsam | violent |
| verharmlosen | to make sth. appear harmless |
| die Brutalität | brutality |
| die Schießerei | shooting |
| der Horrorfilm (-e) | horror-film/video nasty |
| die Videothek (-en) | video shop/library |
| die Pornographie | pornography |
| es steht im Mittelpunkt pädagogischer Kritik | it is at the centre of criticism from educationists |
| die heile Welt | an ideal world |
| die heile Familie | secure, normal family |
| hier wird keine heile Welt vorgeführt | there's no utopia shown here |
| die Scheinwelt | a bogus world |
| der Verlust von Phantasie | loss of one's imagination |
| sie klebt am Fernseher | she's glued to the set |
| die Auswirkung auf das Verhalten | the effect on behaviour |
| verdummen | to dull s.o.'s mind |
| sie wenden viel zu viel Zeit für Fernsehen auf | they spend far too much time watching television |

| | |
|---|---|
| Eltern sollten verhindern, daß Kinder ... | parents should prevent their children from ... |
| sie beschäftigen sich zu wenig mit ihren Kindern | they take too little interest in their children |
| eine Alternative bieten | to offer an alternative |
| kreative Tätigkeiten (pl) | creative activities |
| es beeinflußt unsere Wertvorstellungen | it influences our moral values |
| besteht ein direkter Zusammenhang zwischen Gewaltdarstellungen und Jugendkriminalität? | is there a direct link between the depiction of violence and teenage crime? |
| wertlos | worthless |
| passiv | passive |
| die unkritische Haltung | uncritical attitude |
| leistungsschwach | academically weak |
| vertrotteln (inf), vegetieren | to vegetate |
| die Zuschauerzahlen (pl) | viewing figures |
| der Werbespot (-s) | advertisement |
| der Werbeblock (-̈e) | commercial break |
| sich durch Werbeeinnahmen finanzieren | to be financed by advertising revenue |

## Die Presse

## The Press

### I Die Tageszeitungen

*Daily Papers*

| | |
|---|---|
| die überregionale Zeitung (-en) | national newspaper |
| die Illustrierte (-n) die Zeitschrift (-en) | magazine |
| das Anzeigenblatt (-̈er) | local advertising paper |
| erscheinen | to be published |
| eine Zeitung herausgeben | to publish a newspaper |
| der Verlag (-e) | publishing company |
| monatlich | monthly |
| wöchentlich | weekly |
| das Comic-heft (-e) | comic |
| der/die Leser/in | reader |
| die Leserschaft | readership |
| abonnieren | to subscribe to |
| das Jahresabonnement | a year's subscription |
| durchblättern (insep) | to flick through |
| der Zeitungshändler (-) | newsagent |
| die Auflage | circulation |
| auflagenstark | with a big circulation |
| die Ausgabe (-n) | edition |
| das Exemplar (-e) | (single) copy |
| das Käseblatt (-̈e) (inf) | local rag (inf) |

31

| | |
|---|---|
| die Ortszeitung (-en) | local paper |
| die Boulevardpresse | gutter press |
| die Boulevardzeitung (-en) <br> das Revolverblatt (-̈er) (inf) | tabloid paper |
| die Regenbogenpresse | trash magazines |

## 2 Die Redaktion

*Editing*

| | |
|---|---|
| der/die Redakteur/in | editor |
| die Redaktion | editorial staff |
| Briefe an die Herausgeber | letters to the editor |
| nach Redaktionsschluß eingegangen | 'stop press' |
| die Schlagzeile (-n) | headline |
| die Aufmachung | presentation, layout |
| die Balkenüberschrift (-en) | banner headline |
| der Leitartikel | leading article |
| der Kommentar | comment, analysis |
| etwas kommentieren | to comment on sth. |
| aktuelle Ereignisse | current events |
| der Reporter (-) | reporter |
| der Journalist (-en) | journalist |
| der Augenzeuge/-zeugin | eye witness |
| berichten über (+Acc) <br> melden | to report |
| die Nachricht (-en) | item of news |
| der Bericht (-e) | report |
| die Reportage | (longer, fuller) report |
| die Sportseite (-n) | sports page |
| die Kolumne (-n) | column (article & page division) |
| die Ortsnachrichten (pl) | local news |
| die Berichterstattung | reporting |
| die Kurznachrichten (pl) | short news items |
| die Meldung (-en) | report |
| das Feuilleton (-s) | feature/review section |
| das Farbmagazin (-e) | colour supplement |
| die Presseagentur (-en) | press agency |
| „Veranstaltungen" | "What's On" |
| der Inserat (-e) | small ad |
| die Werbung <br> die Reklame | advertising |
| der Nachruf (-e) | obituary |
| die Kritik (-en) | critique, critical review |
| der/die Kritiker/in | critic |
| die Klatschspalte (-n) | gossip column |
| die Problemseite (-n) <br> der Kummerkasten (-̈) | problem page |
| das Ereignis (-se) | event |

| | |
|---|---|
| sich ereignen | |
| geschehen (ie-a-e)* | to take place |
| vorgehen* | |
| sich abspielen | |
| sie verfügt über ein ausgedehntes Korrespondentennetz | it has an extensive network of correspondents |
| sich/einen auf dem laufenden halten | to keep o.s./s.o. up to date |
| von aktuellem Interesse | of current interest |
| richtunggebend | influential |
| voreingenommen | biased |
| etwas einseitig schildern | to report sth. in a biased way |
| reißerisch | sensational |
| die Enthüllungen (pl) | revelations |
| unsachlich, subjektiv | subjective |
| sachlich, objektiv | objective |
| ausführlich | full, detailed |
| informativ | informative |
| ein Zerrbild entwerfen | to give a distorted picture |
| der Knüller | scoop |
| sie greifen (ei-i-i) in die Privatsphäre ein | they invade people's privacy |
| die Pressefreiheit | freedom of the press |
| seine Macht mißbrauchen | to abuse one's power |
| eine Zeitung auf Schadenersatz verklagen | to claim damages from a newspaper |
| die Verleumdung | libel |
| die Pressezensur | censorship |
| die Pressekonzentration | ownership of the press by a few |
| es bildet eine Gefahr für die Meinungsvielfalt dar | it threatens to restrict the expression of a variety of opinions |

## Die Werbung / Advertising

| | |
|---|---|
| die Konsumgesellschaft | consumer society |
| die Werbewirtschaft | advertising industry |
| die Werbeausgaben (pl) | expenditure on advertising |
| der Werbeslogan (-s) | advertising slogan |
| der Werbegag (-s) | stunt |
| die Werbekampagne (-n) | campaign |
| die Werbeaktion (-en) | |
| die Werbeagentur (-en) | advertising agency |
| das Werbefernsehen (-) | television advertising |
| werbewirksam sein | to have good publicity value |
| sein Image verbessern | to improve one's image |
| die Marktforschung | market research |
| Waren mit erstrebenswerten Eigenschaften verknüpfen | to link a product to desirable qualities |

| | |
|---|---|
| Prominente werden eingesetzt | well-known people are used |
| einem Produkt Prestige verleihen | give a product some prestige |
| die Plakatwand (¨e) | hoarding |
| werben (i-a-o) für | to promote |
| ein Produkt auf den Markt bringen | to bring out a product |
| die Zielgruppe (-n) | target group |
| beredsam | persuasive |
| verführen | to tempt |
| die Werbeaussage | advertising message |
| als Blickfang | to catch the eye |
| etwas ansprechen | to appeal to sth. |
| die niederen Instinkte | our baser instincts |
| ausnutzen | to take advantage of |
| ausbeuten | to exploit, use |
| zum Kauf bewegen | to motivate people to buy |
| der Lebensstil | life-style |
| der Konsument (*weak noun*) } der Verbraucher (-) | consumer |
| der Konsumterror | pressures of consumer society |
| der Konsumzwang | pressure to buy unnecessary goods |
| die Kauflust | desire to buy things |
| beraten | to advise |
| den Markt sättigen | to saturate the market |
| der Markt ist hart umkämpft | there is strong competition |
| die Aufmerksamkeit auf ein Produkt lenken | to draw attention to a product |
| sie erfüllen alle dieselbe Funktion | they all do the same thing |
| unbewußt | subconscious |
| einen positiven Eindruck erwecken | to give a favourable impression |
| Erwartungen prägen | to shape expectations |
| Ansprüche, die nicht zu erfüllen sind | demands which cannot be met |
| Konsumbedürfnisse erwecken | to create needs |
| über seine Verhältnisse leben | to live beyond one's means |
| sich ein Statussymbol anschaffen | to acquire/purchase a status symbol |
| die Kaufkraft der Jugendlichen | the purchasing power of young people |
| der Verbraucherschutz | consumer protection |
| die traditionelle Rollenverteilung verfestigen | to reinforce traditional role models |
| den Nachbarn (*Dat pl*) nicht nachstehen | to keep up with the Jones's |

# Schule und Ausbildung

## Das Schulsystem

## Education System

| | |
|---|---|
| die allgemeine Schulpflichtzeit | (period of) compulsory schooling |
| der Kindergarten (¨) | kindergarten, nursery school |
| die Grundschule (-n) | primary school |
| das Gymnasium (pl: Gymnasien) | grammar school (11–19) |
| die Realschule (-n) | secondary modern school (11–16) |
| die Hauptschule (-n) | secondary/technical school (11–15) |
| die Gesamtschule (-n) | comprehensive school |
| das Abitur (no pl) | A-levels |
| der Realschulabschluß | secondary school leaving certificate |
| der Hauptschulabschluß | |
| die Orientierungsstufe | first two years of secondary education |
| die Schule besuchen | to go to school |
| sitzenbleiben | to repeat a year |
| er wurde nicht versetzt | he had to repeat a year |
| die Oberstufe | sixth form (ie last three years of Gymnasium) |
| der Lehrplan/Bildungsplan | curriculum |
| die Fächerauswahl | choice of subjects |
| die Kernfächer (pl) | basic/core subjects |
| die Pflichtfächer (pl) | compulsory subjects |
| die Nachhilfestunde (-n) | extra tuition |
| Lesen, Schreiben und Rechnen | the three Rs |
| der Elternabend | parents' evening |

## Die Prüfungen

## Examinations

| | |
|---|---|
| die Klausur | piece of work done under exam conditions |
| die kontinuierliche Beurteilung | continuous assessment |
| die Klassenarbeit (-en) | class test (for continuous assessment) |
| die Note (-n) | mark, grade |
| die Endnote | final mark |
| das Zeugnis (-se) | report |
| gute Noten bekommen | to get good marks/grades |
| das Testergebnis (-se) | test result |

| | |
|---|---|
| die Durchschnittsnote | average mark |
| eine Prüfung machen | to sit for an exam |
| eine Prüfung bestehen (*irreg*) | to pass an exam |
| durchfallen | to fail an exam |
| er ist in Französisch durchgefallen | he failed in French |
| sie ist durchgerutscht | she scraped through |
| eine Prüfung wiederholen | to retake/resit an exam |
| sich auf seine Prüfungen vorbereiten | to prepare for the exams |
| eine Konkurrenzatmosphäre | a competitive atmosphere |
| leistungsorientiert | competitive (person, school) |
| der Leistungsdruck | pressure to achieve |

## C  Die Schüler

## Pupils

### 1 Der Lernprozeß

*The Learning Process*

| | |
|---|---|
| die Aufmerksamkeit | attentiveness |
| das Gedächtnis ⎫<br>die Gedächtniskraft ⎭ | memory |
| ein fotographisches Gedächtnis | photographic memory |
| die Gedächtnishilfe | memory aid |
| ohne Fleiß, kein Preis | no work, no reward (proverb) |
| das Arbeitstier | workaholic |
| der Streber | swot |
| ich brauche immer eine Geräuschkulisse | I always need some background noise |
| stichwortartige Notizen | outline notes |
| wiederholen | to revise |
| pauken (*inf*) | to cram |
| sich überarbeiten (*insep*) | to overwork |

### 2 Positive Einstellung

*Positive Attitude*

| | |
|---|---|
| ich bin sehr motiviert | I'm well motivated |
| die Begabung | talent, giftedness |
| ein begabter Schüler | a gifted pupil |
| ich bin gut in Englisch | I'm good at English |
| etwas auswendig lernen | to learn by heart |
| die Wissenslücken stopfen | to fill in the gaps |
| der Wissensdurst | thirst for knowledge |
| sich Wissen zulegen | to acquire knowledge |
| sich auf dem laufenden halten | to keep o.s. up to date |
| begreifen (ei-i-i) | to grasp |
| sich sehr bemühen, etw. zu tun | to make every effort to do sth. |
| es kostet große Mühe | it's a real effort |
| sein Bestes tun | to do one's best |

| | |
|---|---|
| arbeiten, so gut man kann | to work to the best of one's ability |
| ich beherrsche das Wesentliche | I have a good grasp of the basics |
| sie ist den anderen haushoch überlegen | she's way ahead of the others |

### 3 Negative Einstellung

*Negative Attitude*

| | |
|---|---|
| das geht über meinen Verstand | that's beyond me |
| ich lerne nur auf äußeren Druck | I only learn when forced to |
| es fehlt mir an Konzentration | I lack concentration |
| die Anstrengung lohnt sich nicht | it's not worth the effort |
| ich bin für Mathe nicht begabt | I'm not very good at Maths |
| ich finde Vorwände, um um meine Hausaufgaben herumzukommen | I make excuses to get out of doing my homework |
| durchwursteln (*inf*) | to muddle through |
| das begreife ich einfach nicht | I just don't get it |
| ich muß meinen Kopf zerbrechen | I have to rack my brains |
| einen Aufsatz hinwerfen (i-a-o) | to dash off an essay |
| mit seiner Arbeit zurückbleiben* | to be behind with one's work |
| die Schule schwänzen | to play truant |

## Die Lehrer

## Teachers

| | |
|---|---|
| sich um ein Lehramt bewerben (i-a-o) | to apply for a teaching job |
| der Studienreferendar (-e) | probationary teacher |
| Schüler/ein Fach unterrichten | to teach pupils/a subject |
| das Kollegium | teaching staff |
| der Lernstoff | material to be learned |
| abwechslungreich | varied |
| wir befassen uns mit . . . | we're dealing with . . . |
| korrigieren | to mark |
| gerecht, fair | fair |
| man muß jeden gleich behandeln | everyone must be treated the same |
| die Kluft zwischen Theorie und Praxis | the gap between theory and practice |
| er stellt hohe Ansprüche | he sets high standards |
| ein gutes Lernklima | a good atmosphere for study |
| konsequent | consistent |
| sie fesselt unser Interesse | she engages our interest |
| schwafeln (*inf*) | to waffle |
| lasch | lax |
| locker | laid-back |
| sich durchsetzen | to be assertive |
| unnahbar | distant, unapproachable |

| | |
|---|---|
| eine Beziehung zu seinen Schülern finden | to relate to one's pupils |
| die Disziplin aufrechterhalten | to maintain discipline |
| die Disziplin straffen | to tighten up discipline |
| motivieren | to motivate |
| Diskussionen fördern | to encourage discussion |
| das Thema einer Diskussion | the topic of a discussion |
| bestrafen | to punish |
| einen Schüler eine Stunde nachsitzen lassen | to give a pupil an hour's detention |
| sie sitzt nach | she's in detention |

## E   Die Ausbildung — Training

| | |
|---|---|
| die Berufsschule (-n) | training/F.E. college |
| der Ausbildungsplatz (-̈e) | position for trainee |
| der Auszubildende (*adj. noun*) | |
| der Azubi (-s) | trainee |
| die Lehre (-n) | apprenticeship, training |
| die kaufmännische Ausbildung | business management training |
| der Management-Trainee | management trainee |
| sich weiterbilden | to continue one's education/training |
| die Einarbeitung | introductory training in company |
| das Ausbildungsprogramm | training scheme |
| der Mangel an Ausbildungsplätzen | lack of traineeships |
| man sollte mehr Ausbildungsplätze zur Verfügung stellen | more training places should be made available |
| die Zahl der Bewerber übersteigt bei weitem das Lehrstellenangebot | the number of applicants far exceeds the number of traineeships available |
| ein Versager sein* | to be a failure (at school) |
| der Zweite Bildungsweg | means of improving qualifications through night school, etc |
| die Volkshochschule (-n) | adult education school |
| das Abitur nachholen | to take A-levels later on |

## F   Die Bildungspolitik — Educational Policy

| | |
|---|---|
| die beherrschenden Themen der Bildungsdebatte | the main topics in the debate about education |
| über ... wird heftig diskutiert | there is a lively debate about ... |
| die elterlichen Erwartungen erfüllen | to fulfil parental expectations |
| das Etat für Schulen | state expenditure on schools |
| das Kultusministerium | ministry of education |

| | |
|---|---|
| die Lernmittelfreiheit | free choice of teaching materials |
| sie haben die Wahl zwischen mehreren Möglichkeiten | they have the choice of several possibilities |
| breites Grundwissen mit individueller Spezialbildung vereinigen | to combine a broad basic knowledge with more specialised study |
| je nach Neigungen und Fähigkeiten | according to interests and abilities |
| Reformen durchführen | to carry out reforms |
| das hat zur Folge gehabt, daß ... | the result of this has been that... |
| es muß vorrangig behandelt werden | it must be given top priority |
| unten auf der Prioritätenliste | low on the list of priorities |
| gut ausgestattet | well-equipped |
| am Arbeitsmarkt orientiert | orientated towards the job market |
| die abnehmende Geburtenrate ⎫ der Geburtenrückgang ⎭ | falling birthrate |
| sinkende Schülerzahlen | falling numbers of pupils |
| überfüllte Klassen | overcrowded classes |
| die Klassenstärke senken | to reduce class sizes |
| gravierende Leistungsmängel (pl) | serious underachievement |
| sie laden ihre Aggression in der Schule ab | they vent their aggression in school |
| leistungsstarke Schüler sollen verstärkt gefördert werden | able pupils should be stretched |
| das nachlassende Leistungsniveau | falling standards (of achievement) |
| den Leistungsstand beurteilen | to assess achievement |
| die Leistungen steigern | to raise standards |
| eine falsche (Selbst)-Einschätzung des Leistungsvermögens | a false assessment of (one's own) abilities |
| den Leistungswettbewerb verstärken | to make things more competitive |
| Schüler zu geistiger Selbständigkeit erziehen (ie-o-o) | to educate pupils to think for themselves |

## Die Sonderschule (-n)

## Special School

| | |
|---|---|
| man nimmt auf ihre Gebrechen/ Behinderungen Rücksicht | they take account of their disabilities |
| man fördert die vorhandenen Fähigkeiten | they build on the abilities they have |
| Ausbildungschancen versäumen | to miss out on educational opportunities |
| die Chancengleichheit | equality of opportunity |

## Das Hochschulsystem

## Higher Education

| | |
|---|---|
| die Schule verlassen | to leave school |
| weiterstudieren | to continue one's studies |
| auf die Universität gehen ⎫ die Universität besuchen ⎭ | to go to university |
| die Fachhochschule | tertiary technical college |
| die Universität Bonn | University of Bonn |
| die Geisteswissenschaften (*pl*) | arts |
| die Naturwissenschaften (*pl*) | sciences |
| die Hochschulerziehung | higher education |
| das Abitur berechtigt zum Studium an der Universität | A-levels give you the right to study at university |
| der Numerus Clausus | grade needed for university place |
| der Studienplatz | place at university |
| sich um einen Studienplatz bewerben | to apply for a place at university |
| das Auswahlgespräch (-e) | interview |
| das Universitätsgelände (-) | campus |
| die Mensa | students' refectory, canteen |
| das Studentenwohnheim (-e) | hall of residence, hostel |
| ich studiere Mathe | I'm doing a Maths degree |
| einen akademischen Grad erhalten (ä-ie-ie) | to get a degree |
| dazu ist ein Universitätsstudium erforderlich | a degree is required for that |
| promovieren | to do a doctorate, doctoral thesis |
| nach Abschluß des Studiums | after qualifying |
| die gegenseitige Anerkennung von Hochschuldiplomen | mutual recognition of university degrees (in EC countries) |
| er kriegt BAföG | he gets a grant |
| die Studiengebühren | tuition fees |
| für Härtefälle | in cases of hardship |
| das Darlehen | loan |
| seinen Horizont erweitern | to broaden one's mind |
| sie hat Geist | she's got a good brain |
| ein Fach intensiv studieren | to study a subject in depth |
| der Hochschulabsolvent (-en) (*weak*) | graduate |
| Forschung betreiben (ei-ie-ie) | to do research |
| die Abwanderung von Wissenschaftlern ⎫ der Brain-Drain ⎭ | brain drain |
| Jura | law |
| die Anglistik | English |
| die Germanistik | German |
| die Pädagogik | education |

# Die Arbeitswelt

## Eine Stelle suchen

## Looking for a Job

| | |
|---|---|
| der Beruf (-e) | career |
| der/die Berufsberater/in | careers adviser |
| die Berufswahl | choice of career |
| ich möchte einen Beruf in Richtung Elektronik ergreifen | I'd like to go for a career that has something to do with electronics |
| im Sprachenbereich | in the languages field |
| eine passende Stelle | a suitable job |
| eine freie Stelle | vacancy |
| in den Anzeigenteil der Zeitung sehen | to look at the advertisements in the newspaper |
| die Annonce (-n) | advertisement |
| anstellen | to employ |
| die Stellenangebote (pl) | situations vacant |
| welche Anforderungen werden an Ausbildung gestellt? | what are the requirements in terms of training? |
| sich in (+Dat) ... auskennen müssen | to have to know about ... |
| unterqualifiziert sein | to be under-qualified |
| die Eigenschaft (-en) | (personal) characteristic |
| das Arbeitsamt | job centre |
| die Stellenvermittlung (-en) | employment agency |
| die Branche (-n) | area of business,trade, industry |
| die Abteilung (-en) | department (of company) |
| die Arbeitsmarktlage | state of the job market |
| das erfordert Ihre Eigeninitiative | you have to use your own initiative |
| eine Firma direkt anschreiben | to write to a firm direct |
| ein begehrter Posten | a much sought-after job |
| jn. um Rat fragen | to ask s.o. for advice |

## Die Bewerbung

## Application

| | |
|---|---|
| sich bei einer Firma um eine Stelle bewerben | to apply to a company for a job |
| das Anschreiben | letter (of application) |
| der Lebenslauf | curriculum vitæ, c.v. |
| das Foto (-s) <br> das Lichtbild (-er) | photograph |
| persönliche Daten (pl) | personal details |

| | |
|---|---|
| die Qualifikationen (*pl*) | qualifications |
| gute Kenntnisse in ... | a good knowledge of ... |
| Deutschkenntnisse erforderlich | a knowledge of German required |
| seine EDV-Kenntnisse ausnutzen | to use one's knowledge of computers |
| die Fotokopie (-*n*) | photocopy |
| die Unterlagen (*pl*) | documents |
| etw. beilegen | to enclose sth. (with a letter) |
| jn. als Referenz angeben | to give s.o. as a referee |

## C   Das Vorstellungsgespräch          Interview

| | |
|---|---|
| jn. zum Vorstellungsgespräch einladen | to invite s.o. for interview |
| der Gesprächspartner (-) | interviewer |
| dezente Kleidung tragen | to dress well |
| gepflegt | well-groomed |
| wie verhalten Sie sich in einer Streß-Situation? | how do you react in stressful situations? |
| Testverfahren einsetzen | to use tests |
| man will damit ermitteln, ob ein Bewerber der Stelle gewachsen ist | they want to use them to find out whether an applicant is suitable for the job |
| ist der Test ausschlaggebend? | is the test decisive? |
| Geschick im Umgang mit Menschen haben<br>geschickt mit Menschen umgehen können | to be good at dealing with people |
| gute Umgangsformen | good manners |
| Sie bekommen einen schriftlichen Bescheid | you will receive notification in writing |
| jm. eine Absage erteilen | to turn s.o. down |
| man hat mir die Stelle geboten | they offered me the job |
| wie sehen die Aufstiegsmöglichkeiten aus? | what are the career prospects? |
| es ist ein Schritt nach vorn | it's a step up the ladder |
| die Verdienstmöglichkeiten | earnings potential |
| der Arbeitsvertrag (¨e) | job contract |
| der gesicherte Arbeitsplatz (¨e) | job security |

## D   Die Arbeit          Employment

### I   *Die Arbeitswelt*          *The World of Work*

| | |
|---|---|
| der Arbeitgeber (-) | employer |
| der ständige Konkurrenzkampf | rat race |

42

| | |
|---|---|
| pendeln/der Pendler (-) | to commute/commuter |
| die Hauptverkehrszeit | rush hour |
| auf dem Weg nach oben sein | to be on the way up |
| befördert werden | to gain promotion |
| durch Erfahrung lernen | to learn by experience |
| in eine leitende Stellung aufrücken | to reach a top position |
| im Aufsichtsrat sitzen | to be on the board of directors |
| der Aufsichtsratvorsitzende (*adj. noun*) | chairman of the board |
| die Mitbestimmung | co-determination/worker participation in management |
| der Betriebsleiter (-) | works manager |
| der Personalleiter (-) | personnel manager |
| der Verkaufsleiter (-) | sales manager |
| der Vorarbeiter (-) }<br>der Vorgesetzte (*adj.noun*) } | foreman |
| die Stellung (-*en*) | job, position |
| beschäftigen | to employ |
| der/die Arbeitnehmer/in (-/*nen*) | employee |
| die Belegschaft | work force (of company) |
| die Arbeitskräfte (*pl*) | work force, manpower |
| die Erwerbstätigen (*pl*) | the working population |
| beschäftigt | busy (a lot to do) |
| belebt, geschäftig | busy (lively) |
| leistungsorientiert arbeiten | to aim for efficiency |
| sie arbeitet bei Daimler-Benz | she works for Daimler-Benz |
| schwarz arbeiten | to work illegally |
| die Abwesenheitsquote | the rate of absenteeism |
| das Gewerbe | trade |
| das Baugewerbe | construction industry |
| das Hotelgewerbe | hotel trade |
| der öffentliche Dienst | civil service |
| der Beamte (*adj. noun*) }<br>die Beamtin } | civil servant |
| die Dienstleistungen (*pl*) | service industries |
| das Bankwesen | banking |
| die Zentrale }<br>die Hauptstelle (-*n*) } | head office |
| die Filiale (-*n*) | branch |

## 2 *Die Arbeitsbedingungen*   *Working Conditions*

| | |
|---|---|
| die Ganztagsarbeit | full-time work |
| die Teilzeitarbeit | part-time work |
| er arbeitet Teilzeit | he works part-time |
| die Gelegenheitsarbeit | casual work |
| als Aushilfssekretärin arbeiten | to temp |
| die gleitende Arbeitszeit | flexible working hours, flexi-time |

| | |
|---|---|
| **Überstunden machen** | to do overtime |
| **der Feierabend** | end of work (for the day) |
| **der Feiertag (-e)** | day off, holiday |
| **der Urlaub** | holiday |
| **sie arbeitet selbständig** | she's self-employed |
| **die Arbeitsplatzteilung** | job-sharing |
| **eine verdummende Arbeit** | boring work/job |
| **eine verantwortungsvolle Stelle** | a responsible job |
| **die Schichtarbeit** | shift work |
| **aufhören zu arbeiten** | to retire |
| **frühzeitig in den Ruhestand gehen** | to take early retirement |
| **die dynamische Rente** | index-linked pension |
| **im Pensionsalter** | of retirement age |

### *3 Finanzdinge* — *Financial Matters*

| | |
|---|---|
| **der Lohn (¨e)** | wage |
| **das Gehalt (¨er)** | salary |
| **das Prämiensystem** | bonus scheme |
| **die Beförderung** | promotion |
| **die Akkordarbeit** | piecework |
| **betriebliche Sozialleistungen** | fringe benefits |
| **der Auszahlungstag, der Zahltag** | pay day |
| **der Mindestlohn** | minimum wage |
| **ihr Lohn liegt unter dem Existenzminimum** | she's not earning a living wage |
| **ein niedriges/mittleres Einkommen** | a low/medium income |

E

## Die Arbeitslosigkeit — Unemployment

### *1 Das Problem* — *The Problem*

| | |
|---|---|
| **entlassen** | to sack, dismiss |
| **100 Angestellte wurden entlassen** | 100 employees lost their jobs |
| **die Kündigung** | notice of dismissal |
| **die natürliche Personalreduzierung** | natural wastage |
| **arbeitslos** | unemployed |
| **die Arbeitslosigkeit** | unemployment |
| **die Arbeitslosenzahlen steigen monatlich** | the unemployment figures are rising month after month |
| **eine Arbeitslosenrate von 6%** | an unemployment rate of 6% |
| **die Dunkelziffer** | estimated number of unreported cases |
| **betroffen sind vor allem . . .** | those most affected are . . . |
| **die Arbeitslosenhilfe** / **das Arbeitslosengeld** | unemployment benefit, dole |
| **sie geraten in finanzielle Schwierigkeiten** | they get into financial difficulties |

| | |
|---|---|
| überhöhte Lohnkosten | excessive wage costs |
| man hat die ganze Belegschaft Feierschichten machen lassen | they laid off the entire workforce |
| der ungelernte Arbeiter | unskilled worker |
| der angelernte Arbeiter | semi-skilled worker |
| der gelernte Arbeiter &#125;<br>der Facharbeiter | skilled worker |
| der Rationalisierungsschub | the drive to rationalise (working practices) |
| bestimmte Arbeitsplätze überflüssig machen | to make certain jobs superfluous |
| Arbeitsplätze gingen verloren | jobs were lost |
| Arbeitskräfte einsparen | to cut back on jobs |
| sie haben das Gefühl, nicht gebraucht zu werden | they have the feeling that they are not needed |
| es schlägt leicht in Apathie um | it easily turns into apathy |
| die Dauerarbeitslosen | long-term unemployed |

## 2 *Gegenmaßnahmen* — *Counter-measures*

| | |
|---|---|
| Maßnahmen zum Abbau der Arbeitslosigkeit | measures to reduce unemployment |
| Gegenmaßnahmen ergreifen | to take counter-measures |
| die Umschulung | retraining |
| sich den veränderten Verhältnissen anpassen | to adapt to change |
| flexibel | adaptable, flexible |
| freie Arbeitsplätze | vacancies |
| die neuen Technologien (*pl*) | new technologies |
| neue Arbeitsplätze wurden geschafft | new jobs were created |
| der Einsatz neuer Techniken | the introduction of new technologies |
| der Computer funktioniert reibungslos | the computer works efficiently |
| man muß die Produktion auf computergestützte Fertigung umstellen | production must be switched to computerised methods |
| mit dem technischen Wandel zurechtkommen | to cope with technological change |
| der Mangel an qualifizierten Arbeitskräften | shortage of qualified staff |

## Die Gewerkschaften — Trade Unions

| | |
|---|---|
| der Gewerkschaftler (-) | trade unionist |
| der Vertrauensmann (¨er) | shop steward |

F

| | |
|---|---|
| in den Streik treten* | to go on strike |
| einen Streik ausrufen | to call a strike |
| wild streiken | to be on unofficial strike, wild cat strike |
| eine Fabrik bestreiken | to black/go on strike at a factory |
| man hat vor der Fabrik Streikposten aufgestellt | they picketed the factory |
| die Kosten des Streiks werden auf . . . beziffert | the cost of the strike is estimated at . . . |
| die Gewerkschaft (-en) | trade union |
| ein vollorganisiertes Unternehmen | closed shop |
| der Lohnstopp | pay freeze |
| die Tarifverhandlungen | pay negotiations |
| die Tarife für Löhne kündigen | to put in a wage claim |
| der Tarifvertrag | pay agreement |
| höhere Löhne fordern | to demand higher wages |
| die Forderungen nach (+Dat) | demands for |
| die Schlichtungsverhandlungen (pl) | strike settlement negotiations |
| der Schlichtungsversuch scheiterte | the attempt at arbitration broke down |
| einen neutralen Schlichter einbeziehen | to call in an independent arbitrator |
| die Aussperrung | lock-out |
| die Arbeitszeitverkürzung | reduction in time spent at work |
| die Verlängerung des Urlaubs | lengthening the holiday |

## Frauen im Beruf

## Women at Work

| | |
|---|---|
| das Kindergeld | family allowance |
| die Kinderkrippe (-n) | creche, nursery |
| die Gleichberechtigung | equal rights |
| gleicher Lohn für gleiche Arbeit | equal pay for equal work |
| wenn Frauen gleichwertige Arbeit wie Männer verrichten, dann sollten sie . . . | if women do work equal in value to mens', they should . . . |
| wie bewertet man die Arbeit? | how do you assess the value of the work? |
| Frauen sind Benachteiligungen ausgesetzt | women are subjected to discrimination |
| Schutzvorschriften für Schwangere | regulations to protect pregnant women |
| der Anteil von Frauen in . . . | the proportion of women in . . . |
| führende Positionen im Wirtschaftsleben | top executive positions |
| mehr Frauen mit Familie wollen zurück in den Beruf | more women with families want to go back to their careers |
| ein Prozeß des Umdenkens | a rethinking process |

# Wirtschaft und Geschäft

**7**

## Grundbegriffe

## Basic Terminology

| | |
|---|---|
| die Konjunktur | economic situation |
| die Hochkonjunktur ⎫ der Aufschwung ⎭ | boom, upturn |
| Angebot und Nachfrage | supply and demand |
| der Gewinn (-e) | profit |
| der Verlust (-e) | loss |
| die freie Marktwirtschaft | free market economy |
| die soziale Marktwirtschaft | social market economy |
| die Konkurrenz | competition |
| die Rezession | recession |
| die Marktschwankungen (pl) | market fluctuations |
| die Zahlungsbilanz | balance of payments |
| der Verbraucher (-) | consumer |
| der Großhandel | wholesale trade |
| der Einzelhandel | retail trade |
| die Wohlstandsgesellschaft | affluent society |
| die Verbrauchergesellschaft | consumer society |
| der Staat | the state |

## Die Wirtschaftspolitik

## Economic Policy

| | |
|---|---|
| die Wirtschaftslage | economic situation |
| wir stehen vor erheblichen Problemen | we face considerable problems |
| der Haushaltsplan | budget |
| das Defizit | deficit |
| wirtschaftspolitisch sollte man . . . | as far as economic policy is concerned, they ought to . . . |
| das Wirtschaftsministerium | Department of Trade and Industry |
| die Steuer (-n) | tax |
| die Steuereinnahmen (pl) | revenue from taxation |
| das Finanzamt | Inland Revenue |
| das Steuerparadies | tax haven |
| die Steuern herabsetzen/ heraufsetzen | to lower/raise taxes |
| etw. von Steuergeldern finanzieren | to finance sth. from taxpayers' money |
| brutto/netto | before/after tax, gross/net |
| die Mehrwertsteuer (MwSt) | value added tax (VAT) |

| | |
|---|---|
| die Inflation bekämpfen | to fight inflation |
| die Bekämpfung der Inflation | the fight against inflation |
| die Voraussetzung für die Lösung aller wirtschaftlichen Probleme | the precondition for solving all economic problems |
| die Inflation ist zurückgegangen | inflation has fallen |
| die Zinssätze erhöhen | to raise interest rates |
| der Zinsanstieg | rise in interest rates |
| das Zinsniveau | level of interest rates |
| die Preise steigen*/sinken*/ schnellen* in die Höhe | prices are rising/falling/shooting up |
| die Preise erhöhen/herabsetzen | to raise/lower prices |
| das Bruttosozialprodukt | gross national product (GNP) |
| die Produktion durch Subventionen fördern | to encourage production by means of subsidies |
| verstaatlichen | to nationalise |
| privatisieren | to privatise |
| der öffentliche Sektor | public sector |
| der private Sektor | private sector |
| die Subvention (-en) | subsidy |
| subventionieren | to subsidise |
| in eine Krise geraten (ä-ie-a)* | to go into crisis |
| etwas auf eine solide Grundlage stellen | to put sth. onto a firm footing |

## Der Private Sektor

## The Private Sector

### I Die Firma

*The Company*

| | |
|---|---|
| die Firma (Firmen) | |
| das Geschäft (-e) | firm, company |
| das Unternehmen (-) | |
| die Gesellschaft (-en) | |
| der Betrieb (-e) | firm, company, factory |
| die Fabrik (-en) | factory |
| der multinationale Konzern (-e) | multinational company |
| der Dienstleistungsbetrieb (-e) | service industry |
| der Besitzer (-) | owner |
| der Leiter (-) | head, boss |
| der Chef (-s) | |
| die Belegschaft | work force |
| Geschäftsmann werden | to go into business |
| mit jm. ein Geschäft gründen | to go into business with s.o. |
| die Firma wurde 1950 gegründet | the firm was founded in 1950 |
| der Leiter (-) | manager |
| der Manager (-) | |
| er leitet die Filiale in Dresden | he manages the branch in Dresden |
| der Jahresumsatz | annual turnover |
| die Produktivität pro Kopf | output per head |

| | |
|---|---|
| die Waren (*pl*) | goods |
| das Angebot | goods on offer |
| der Auftrag (¨e) | |
| die Bestellung (-en) | order |
| die Lieferung (-en) | delivery |

## 2 Die Herstellung

*Production*

| | |
|---|---|
| die Rohstoffversorgung | supply of raw materials |
| herstellen | |
| erzeugen | to make, produce, manufacture |
| die Massenproduktion | mass production |
| Produktionsprozesse automatisieren | to automate production |
| der Roboter (-) | robot |
| computergesteuert | computer-controlled |
| mit Sensoren ausgestattet | equipped with sensors |
| die Zahl der Roboter nimmt ständig zu | the number of robots continues to rise |
| Roboter ersetzen eine Vielfalt manueller Tätigkeiten | robots are replacing a variety of manual activities |
| sie können zur Übernahme monotoner Arbeitsabläufe eingesetzt werden | they can be used to take over boring jobs |
| das Geld in die Forschung investieren | to invest in research & development |
| am Fließband arbeiten | to work on the assembly line |

## 3 Angebot und Nachfrage

*Supply and Demand*

| | |
|---|---|
| das Geschäft wirft jetzt Gewinn ab/rentiert sich | the company is now showing a profit |
| die Rentabilität | profitability |
| rentabel | profitable |
| den Umsatz steigern | to raise turnover |
| es herrscht starke Nachfrage nach ... | there is a great demand for ... |
| Nachfrage erzeugen | to create a market |
| erscheinen | to come on to the market |
| den Markt überschwemmen | to flood the market |
| ein Markt mit starker Konkurrenz | a highly competitive market |
| das Produkt muß mit Billigeren konkurrieren | this product has to compete against cheaper ones |
| sie gehen wie warme Semmeln weg | they're selling like hot cakes |
| das Geschäft blüht | business is booming |
| das Geschäft geht schlecht | business is slack |
| sie verkaufen es mit Verlust | they're selling it at a loss |
| die Produktion drosseln | to cut back on production |

| | |
|---|---|
| einen Betrieb stillegen | to close down a factory |
| schließen (ie-o-o) *(itr)* | to close down |
| in finanzielle Schwierigkeiten geraten (ä-ie-a)* | to get into financial difficulties |
| Arbeitskräfte entlassen | to make workers redundant |
| Bankrott/Pleite machen | to go bankrupt |
| bankrott/pleite sein | to be bankrupt |
| zahlungsunfähig | insolvent |
| wie der Preis, so die Ware | you get what you pay for |
| das Sonderangebot | special offer |
| zum halben Preis verkaufen | to sell at half price |

**D**

## Die Börse

## Stock Exchange

| | |
|---|---|
| der Kapitalanleger (-) | investor |
| der Börsenmakler (-) | stockbroker |
| der Aktionär (-e) | shareholder |
| der Anteil (-e) (bei +*Dat*) | share, stake (in) |
| die Aktie (-*n*) | share, share certificate |
| die Investition (-*en*) | investment |
| handeln mit | to deal in |
| sein Geld in ... anlegen | to invest in ... |
| (an der Börse) spekulieren | to speculate (on the stock exchange) |
| der Spekulant (-*en*) | speculator |
| die Spekulation mit Grundstücken | property speculation |
| an der Börse gehandelt | quoted on the stock exchange |
| der Börsensturz | collapse of share prices |
| der Markt erholt sich | the market is recovering |
| die Börse ist flau/lebhaft | trading is quiet/lively |
| die Fusion | merger |
| die Übernahme | takeover |
| das Übernahmeangebot | takeover bid |
| die Marktschwankungen (*pl*) | market fluctuations |
| das Geschäft blüht | business is booming |
| diese Firma ist eine gute Kapitalanlage | this company is a good investment |

**E**

## Der Internationale Handel

## International Trade

| | |
|---|---|
| der Import/Export | import/export |
| importieren/exportieren | to import/export |
| die Handelsbilanz | balance of trade |
| die Zahlungsbilanz | balance of payments |
| das Außenhandelsdefizit | trade gap/deficit |
| unsichtbare Einkünfte | invisible earnings |
| wie steht der Kurs momentan? | what's the rate of exchange at the moment? |

| | |
|---|---|
| das Handelsvolumen hat sich rasch vergrößert | trade has increased rapidly in volume |
| die Erholung ist auf die Belebung des Auslandsgeschäfts zurückzuführen | the recovery is due to the upturn in foreign trade |
| der Dollar ist stark gefallen | the value of the dollar has dropped sharply |
| eine stabile Währung | a stable currency |
| die Währungsunion | monetary union |
| die Abwertung | devaluation |
| sein Anteil am gesamten Weltexport beträgt 5% | its share of world exports amounts to 5% |
| um seine Spitzenposition zu behaupten, . . . | to maintain its leading position, . . . |
| die BRD nimmt hinter der USA die zweite Stelle ein | Germany is in second place behind the USA |
| Großbritannien hat im Bereich Maschinenbau den Anschluß verpaßt | Britain has missed the boat in the field of mechanical engineering |
| ihre Produkte sind qualitativ besser | their products are of better quality |
| sie sind auf britisches Know-how angewiesen | they rely on British know-how |
| die Schuldenkrise der Entwicklungsländer | the debt crisis of developing countries |

## Der Familienhaushalt

## Family Budget

### I Einkommen und Ausgaben

### Income and Expenditure

| | |
|---|---|
| das Jahreseinkommen | annual income |
| die Ausgaben (pl) | outgoings |
| das Einkommensteuer (-n) | income tax |
| der Abzug (¨e) | deduction (from wages) |
| die Steuervergünstigung (-en) | tax allowance |
| die Steuergruppe (-n) | tax bracket |
| die Miete (-n) | rent |
| eine Hypotheke über £70,000 | £70,000 mortgage |
| das Darlehen (-) | loan |
| die Krankenversicherung (-en) | health insurance |
| die Lebensversicherung (-en) | life insurance |
| die Vollkaskoversicherung (-en) | comprehensive insurance |
| haftpflichtversichert sein* | to be insured third party |
| etw. ratenweise kaufen | to buy sth. on hire purchase |
| die Kreditkarte (-n) | credit card |
| der Anstieg der Lebenshaltungskosten | the rise in living costs |
| der Lebensunterhaltungskostenindex | cost-of-living index |

| | |
|---|---|
| die Kaufkraft | purchasing power |
| das ausgabefähige Einkommen | disposable income |
| der Lebensstandard | standard of living |
| die Begüterten ⎫ | the well-off |
| die Einkommensstarken ⎭ | |
| sie leben wie Gott in Frankreich | they live a life of luxury |
| sich nach der Decke strecken | to cut one's coat according to one's cloth |
| sich (Dat) den Riemen enger schnallen | to tighten one's belt |
| über seine Verhältnisse leben | to live beyond one's means |
| seinen Verhältnissen entsprechend leben | to live within one's means |
| das kann ich mir nicht leisten | I can't afford that |
| die Armut | poverty |
| die Einkommensschwachen | those in a low income bracket |
| von der Hand in den Mund leben | to live from hand to mouth |
| in den roten Zahlen stecken | to be in the red |
| sie ist knapp bei Kasse | she's hard up |
| er hat Geldsorgen | he's got money problems |
| Geld allein macht nicht glücklich, aber es beruhigt | money alone doesn't make you happy, but it helps |
| das Geld auf die Straße werfen | to spend money like water |

## 2 *Die Banken* — *Banks*

| | |
|---|---|
| Geld verleihen | to lend money |
| die Kontoüberziehung (-en) | overdraft |
| das Konto ist überzogen | the account is overdrawn |
| der Geldautomat | cash dispenser, cash machine |
| überweisen (ei-ie-ie) (insep) | to transfer |
| ich will das Geld auf mein Konto überweisen | I want to transfer the money to my account |
| einzahlen | to pay in |
| mit Scheck bezahlen | to pay by cheque |
| bar bezahlen | to pay cash |
| eine Schuld abzahlen/tilgen | to pay off a debt |
| einen Scheck auf jn. ausstellen | to make out a cheque to s.o. |
| eine Rechnung bezahlen | to settle a bill |
| Soll und Haben | debit and credit |
| sparen für, auf (+Acc) | to save for |
| mein Sparkonto bringt 7% Zinsen | my savings account pays 7% interest |

# Die Politik

## Der Wahlkampf

| | |
|---|---|
| die Redefreiheit | freedom of speech |
| ein vom Grundgesetz garantiertes Recht (-e) | a right guaranteed by the constitution |
| sich zur Wahl stellen | to stand for election |
| die Wählerschaft | electorate, constituents |
| das Wahlgeschenk (-e) | pre-election promise |
| einen Wahlkampf führen | to conduct an election campaign |
| das Blaue vom Himmel versprechen | to promise the earth |
| die Meinungsumfrage (-n) | opinion poll |
| 30% der Befragten waren gegen die Regierung | 30% of those polled were against the government |
| an Boden gewinnen | to gain ground |
| A holt B langsam ein | A is catching up with B |
| ihre Beliebtheit nimmt zu | she is gaining in popularity |
| Stimmen gewinnen/verlieren | to gain/lose support |

## Die Wahlen — The Elections

**The Election Campaign**

| | |
|---|---|
| die Parlamentswahlen (pl) | general election |
| die Nebenwahl (-en) | by-election |
| eine Wahl ankündigen | to call an election |
| ein Referendum abhalten (ä-ie-a) | to hold a referendum |
| das allgemeine Wahlrecht | right of every citizen to vote |
| stimmberechtigt | entitled to vote |
| das Wahlsystem | electoral system |
| das Mehrheitswahlrecht | 'first past the post', majority voting system |
| das Verhältniswahlrecht | proportional representation |
| zur Urne gehen | to go to the polls |
| der Stimmzettel (-) | ballot paper |
| wählen | to vote |
| für einen Kandidaten stimmen | to vote for a candidate |
| eine hohe Wahlbeteiligung | a good turnout |
| ein überwältigender Sieg (-e) | a landslide victory |
| eine geringe/absolute Mehrheit | a small/absolute majority |
| ohne absolute Mehrheit | with no overall majority |

| eine vernichtende Wahlniederlage | a crushing electoral defeat |
| er wurde zum Präsidenten gewählt | he was elected president |
| sie wurde in den Bundestag gewählt | she was elected to parliament |
| eine Koalition bilden | to form a coalition government |

## Die Staatsordnung

## The System of Government

### 1 Die Regierung

### The Government

| die Staats- und Gesellschaftsordnung | social system & system of government |
| das Grundgesetz, die Verfassung | constitution |
| verfassungswidrig | unconstitutional |
| die Demokratie, demokratisch | democracy, democratic |
| an der Macht sein | to hold power |
| das Staatoberhaupt (-er) | head of state |
| der Parteichef (-s) | party leader |
| der Bundeskanzler (-) | Prime Minister |
| der Finanzminister (-) | Finance Minister/Chancellor of the Exchequer |
| der Innenminister (-) | Home Secretary/Minister of the Interior |
| der Außenminister (-) | Foreign Minister/Secretary |
| die Kabinettsumbildung | cabinet reshuffle |
| der Bundesrat | the Upper House (Lords) |
| der Bundestag (Austria: Nationalrat) | the Lower House (Commons) |
| der/die Abgeordnete (adj.noun) | member of parliament |
| ein Sitz (-e) im Parlament | seat in parliament |

### 2 Die politischen Parteien

### Political Parties

| die politische Partei (-en) | political party |
| die Linke | the left |
| dem rechten Flügel der Partei angehören | to be on the right of the party |
| konservativ | conservative |
| liberal | liberal |
| der/die Gemäßigte (adj.noun) | moderate |
| der Sozialismus, sozialistisch | Socialism, socialist |
| der Kommunismus, kommunistisch | Communism, communist |
| die Grünen, die AL | The Greens |
| der/die Links-(Rechts)radikale (-n) | left-(right-) wing extremist |
| totalitär | totalitarian |
| reaktionär | reactionary |
| revolutionär | revolutionary |
| das gegenwärtige System für gut halten | to be in favour of the present system |

### *3 Das Parlament* — Parliament

| | |
|---|---|
| die Sitzung (*-en*) | sitting |
| eine stürmische Debatte über . . . | a stormy debate on . . . |
| über einen Antrag (¨*e*) abstimmen | to vote on a proposal |
| auf der Tagesordnung stehen | to be on the agenda |
| langfristige Maßnahmen (*pl*) | long-term measures |
| kurzfristige Maßnahmen (*pl*) | short-term measures |
| ein Gesetz (-e) entwerfen (i-a-o) | to draw up a bill |
| ein Gesetz (-e) einbringen | to introduce a bill |
| ein Gesetz (-e) verwerfen (i-a-o) | to throw out a bill |
| ein Gesetz (-e) verabschieden | to pass a bill |
| ein Gesetz (-e) aufheben (e-o-o) | to repeal an act |
| rechtskräftig werden | to become law |
| zurücktreten (i-a-e)* | to resign |

## Das Politische Leben — Political Life

| | |
|---|---|
| die straffe Führung | strong leadership |
| unter Leitung des Premierministers | under the leadership of the Prime Minister |
| von dem Premierminister ernannt | appointed by the Prime Minister |
| radikale Maßnahmen ergreifen | to take radical measures |
| gegen die Inflation energisch vorgehen | to take a tough line on inflation |
| den Kopf in den Sand stecken | to bury one's head in the sand |
| die Sache schleifen lassen | to drag one's feet |
| Schwung verlieren (ie-o-o) | to lose momentum |
| er sieht den Wald vor lauter Bäumen nicht | he can't see the wood for the trees |
| sie hat ein klares Ziel vor Augen | she has a clear aim |
| engstirnig | narrow-minded |
| eine durchgreifende Reform fordern | to demand a complete reform |
| die Reform zu einem Eckpfeiler seiner Politik machen | to make reform a cornerstone of one's policy |
| zum Handeln anspornen | to incite to action |
| eine Diskussion auslösen | to provoke discussion |
| wegen der öffentlichen Kritik | due to public criticism |
| Fragen von weitreichender Bedeutung | questions of far-reaching importance |
| zu Auseinandersetzungen führen | to lead to disagreements |
| kontrovers | controversial |
| es birgt die Gefahr (*-en*), daß . . . | it involves the danger that . . . |
| die künftige Politik muß darauf abzielen, . . . | future policy must aim to . . . |
| eine aufrührerische Rede halten | to make an inflammatory speech |
| eine Tat (*-n*) verurteilen | to condemn an action |

| | |
|---|---|
| auf einen zunehmenden Widerstand stoßen (ö-ie-o)* | to meet with increasing resistance |
| sich weigern, nachzugeben | to refuse to back down |
| behaupten, daß zweimal zwei fünf ist | to argue that black is white |
| protestieren | to protest |
| eine Demonstration (-en) veranstalten | to hold a demonstration |
| die Unterschriftensammlung (-en) | petition |
| eine Kehrtwendung kritisieren | to criticise an about-turn |
| die schwere Krise ist überwunden worden | the difficult crisis has been resolved |
| in einer andauernden Krise stecken | to be in a continuing crisis |

## Die Kommunalverwaltung — Local Government

| | |
|---|---|
| die Landesverwaltung macht sich ihre Kenntnisse der regionalen Verhältnisse zunutze | local government makes use of its knowledge of regional circumstances |
| die Gemeinde (-n) | local authority, local community |
| der Gemeinderat, Stadtrat (-̈e) | town council/councillor |
| der (Ober-)Bürgermeister (-) | (lord) mayor |
| die Gewerbesteuer (-n) | local business tax |
| die Gemeindeverwaltung | local authority |
| die Gemeindewahl | local elections |

## Die Europäische Gemeinschaft — *European Community*

| | |
|---|---|
| die gemeinsame Agrarpolitik | Common Agricultural Policy |
| eine Reform der Agrarpolitik erzwingen | to force a reform of the agricultural policy |
| den Ausbau der Wirtschaftsbeziehungen fördern | to promote the extension of economic links |
| die Wirtschaftsintegration | economic integration |
| die Währungsunion | single currency |
| die Zusammenarbeit der Mitgliedsstaaten | the cooperation of member states |
| die föderative Struktur | federal structure |
| die Ausführung der Gemeinschaftsbeschlüsse durch die Mitgliedsstaaten | the implementation of Community decisions by member states |
| den Wohlstand der Bürger vermehren | to improve the prosperity of its citizens |
| die Europäische Kommission | European Commission |
| die Entscheidungsbefugnisse (*pl*) | decision-making powers |

| | |
|---|---|
| der Anteil am Welthandel | share of world trade |
| an der Spitze aller Handelsmächte stehen | to be the leading economic power |
| eine politisch handlungsfähige Union | a community capable of taking (joint) political action |
| die politische Unabhängigkeit einschränken | to limit political independence |
| am Entscheidungsprozeß beteiligt sein | to be involved in the decision-making process |
| die Abhängigkeit der Landwirtschaft von Subventionen abbauen | to reduce the dependency of agriculture on subsidies |
| es führt zu Überschüssen (pl) | it leads to over-production |

## Die deutsche Wiedervereinigung

## German Reunification

| | |
|---|---|
| der Umbruch | upheaval, radical change |
| stürzen | to overthrow |
| das Ereignis (-se) | event |
| der Kalte Krieg | the Cold War |
| der Eiserne Vorhang | the Iron Curtain |
| der Demokratisierungsprozeß | process of democratisation |
| Verhandlungen aufnehmen | to start negotiations |
| einen Vertrag billigen | to ratify a treaty |
| in Kraft treten | to come into force |
| zurücktreten | to resign |
| übereilt | too hurried |
| schnelles Handeln ist erforderlich | swift action is needed |
| rechtfertigen | to justify |
| die Übergangsfrist | transitional period |
| der Übergang zu einer Marktwirtschaft | the transition to a market economy |
| jm. etwas vorwerfen | to accuse s.o. of sth. |
| die NATO-Mitgliedschaft | NATO membership |
| Truppen (pl) abziehen | to withdraw troops |
| die Kosten der Einheit | the cost of unity |
| unterdrücken | to suppress, oppress |
| eine Demonstration gewaltsam zerschlagen | to break up a demonstration by violent means |
| die Überwachung | surveillance |
| inhaftieren | to arrest |
| die Geheimpolizei | secret police |
| der Spitzel (-) | informer |
| konkurrenzfähig | competitive |
| die ehemalige DDR | what used to be the GDR |

# Internationale Beziehungen

## Die Außenpolitik

## Foreign Policy

| | |
|---|---|
| internationale Beziehungen (pl) | international relations |
| diplomatische Beziehungen abbrechen | to break off diplomatic relations |
| wirtschaftliche Sanktionen (pl) aufstellen ... | to set up economic sanctions against ... |
| die Großmächte (pl) } die Supermächte (pl) } | super-powers |
| die Machtbalance | balance of power |
| die Macht ergreifen | to seize power |
| (über jn.) die Oberhand gewinnen | to gain the upper hand (over s.o.) |
| verhandeln über (+Acc) | to negotiate |
| das Gipfelgespräch | summit talks |
| über etwas Einigung erzielen | to reach agreement on sth. |
| ein Abkommen schließen | to sign a treaty |
| am Scheideweg stehen | to have reached a crossroads |
| ein Problem (-e) darstellen | to present a problem |
| das Scheitern der Verhandlungen | breakdown of talks |
| der Atomwaffensperrvertrag | nuclear non-proliferation treaty |
| sie kämpfen um ihre Freiheit | they're fighting for their freedom |
| in einem Streit vermitteln | to act as conciliator |
| die Friedenstruppen (pl) | peace-keeping force |
| Friedensverhandlungen führen | to hold peace talks |
| etw. vereinbaren | to agree on sth. |
| Maßnahmen zur Sicherung des Friedens | peace-keeping measures |
| die Entspannung | easing of tensions |
| die Beschwichtigung durch Zugeständnisse | appeasement |
| einen bedeutsamen Beitrag zu ... leisten | to make a significant contribution to ... |
| der Truppenabbau | troop reductions |
| Truppen abziehen | to withdraw troops |
| Truppen stationieren | to station troops |
| die Abrüstung | disarmament |
| der Alliierte (adj noun) } der Allianzpartner (-) } | ally |

## Krieg und Frieden

## War and Peace

### 1 Der Krieg

*War*

| | |
|---|---|
| den Krieg vermeiden | to avoid war |
| jm. den Krieg erklären | to declare war on s.o. |
| im Krieg stehen | to be at war |
| der Feind (-e) | enemy |
| für den Krieg rüsten | to arm for war |
| der Krieg zu Wasser, zu Lande und in der Luft | the war at sea, on land and in the air |
| die Schlacht (-en) | battle |
| der Kampf | battle, combat |
| verwüsten | to lay waste to |
| einen Krieg gewinnen (i-a-o) | to win a war |
| einen Sieg erringen (i-a-u) | to win a victory |
| besiegen | to defeat |
| sich (+Dat) unterwerfen | to submit to |
| erobern | to conquer |
| der Kalte Krieg | Cold War |
| jm. ein Ultimatum stellen | to deliver an ultimatum to s.o. |
| einmarschieren in (+Acc) | to invade |
| die Invasion | invasion |
| angreifen (ei-i-i) | to attack |
| verteidigen | to defend |
| gegeneinander kämpfen | to fight against one another |
| beschießen (ie-o-o) | to shell |
| umstellen (insep) | to surround |
| überrennen (insep) (mixed vb) | to overrun |
| die Niederlage (-n) | defeat |
| der Waffenstillstand | ceasefire |
| besetzen | to occupy (land) |
| Widerstand leisten | to offer resistance |
| verletzen | to wound |
| umbringen | to kill |
| viele kamen ums Leben | many lost their lives |
| der Greuel (-) | atrocity |

### 2 Die Streitkräfte

*The Armed Forces*

| | |
|---|---|
| das Verteidigungsministerium | Ministry of Defence |
| Einsparungen (pl) im Verteidigungshaushalt | savings in the defence budget |
| die Streitkräfte (pl) | armed forces |
| die Spionage | espionage |
| der Spion (-e) | spy |
| der Spionagesatellit (-en) | spy satellite |
| die Armee, das Heer | army |
| die Truppen (pl) | troops |

| | |
|---|---|
| der Offizier (-e) | officer |
| marschieren | to march |
| das Gewehr (-e) | gun |
| der Panzer (-) | tank |
| die Marine | navy |
| das Kriegsschiff (-e) | warship |
| die Rakete (-n) | missile |
| der Marschflugkörper (-) }<br>die Cruise-Rakete (-n) } | cruise missile |
| die Langstreckenwaffe (-n) | long-range weapon |
| die Luftwaffe | air force |
| das Kampfflugzeug (-e) | warplane |
| der Stützpunkt (-e) | base (air, naval, army) |
| konventionelle Waffen (pl) | conventional weapons |
| die Atomwaffen (pl) | atomic weapons |
| der Atomsprengkopf (¨e) | nuclear warhead |
| eine Atomstreitmacht sein | to possess a nuclear capability |
| biologische Waffen | biological weapons |
| chemische Waffen | chemical weapons |
| das Atominferno | nuclear holocaust |
| die Abschreckung | deterrent |
| die allgemeine Wehrpflicht | national (military) service, conscription |
| seinen Militärdienst ableisten | to do one's military service |
| abschaffen | to abolish |
| der Berufssoldat (-en) | professional soldier |
| der Zivildienst | community service |
| der/die Zivildienstleistende (adj. noun) | s.o. doing community work (rather than military service) |
| der Kriegsdienstverweigerer (-) | conscientious objector |
| seinem Land dienen | to serve one's country |
| der Gemeinschaft dienen | to serve the community |
| der Pazifismus | pacifism |
| die Friedensbewegung | peace movement |
| der Waffenhandel | the arms trade |

## Der Terrorismus / Terrorism

| | |
|---|---|
| der Terroristenangriff (-e) | terrorist attack |
| der Attentatsversuch (-e) | assassination attempt |
| kaltblütig | cold-blooded |
| wahllos angreifen (ei-i-i) | to strike indiscriminately |
| ein ziviles Ziel angreifen (ei-i-i) | to attack a civilian target |
| einen Anschlag verüben | to carry out an attack |
| sich zu einem Anschlag bekennen | to admit carrying out an attack |
| der Bombenanschlag (¨e) | bomb attack |
| der Bombenalarm | bomb alert |

| | |
|---|---|
| ein Flugzeug entführen | to hijack a plane |
| der Entführer (-) | hijacker |
| die Geisel (-n) | hostage |
| die Geiselnahme | the taking of hostages |
| jn. als Geisel nehmen | to take s.o. hostage |
| der Fanatiker (-) | fanatic |
| eine versteckte Bombe | booby-trap bomb |
| großen Schaden anrichten | to cause great damage |
| das Opfer (-) | victim |
| ermorden | to murder |
| verletzen | to injure |
| politisch motiviert | politically motivated |
| unannehmbare Forderungen stellen | to make impossible demands |
| überall Abscheu auslösen, hervorrufen | to provoke widespread disgust |
| Forderungen eingehen | to give in to demands |
| einen festen Standpunkt vertreten (i-a-e) | to take a firm stand |
| ausliefern | to extradite |

## Die Dritte Welt

*The Third World*

| | |
|---|---|
| die Entwicklungsländer (pl) | developing countries |
| auf der Südhalbkugel | in the southern hemisphere |
| unterentwickelt | underdeveloped |
| die Armut bekämpfen | to fight poverty |
| unterhalb der Armutgrenze leben | to live below the poverty line |
| das Wirtschaftswachstum | economic growth |
| der Geburtenzuwachs | increase in the birth rate |
| die Überbevölkerung | over-population |
| die Auslandsverschuldung | foreign debt |
| der krasse Unterschied zwischen Arm und Reich | the huge gulf between rich and poor |
| die ungleiche Verteilung | unequal distribution |
| der Analphabetismus | illiteracy |
| die Unterernährung | malnutrition |
| die Lebenserwartung | life expectancy |
| die Säuglingssterblichkeit | infant mortality |
| Rohstoffpreise sichern | to guarantee prices for raw materials |
| fördern | to support, to aid |

# Transport

## 10

## A   Die Verkehrspolitik

### Transport Policy

| | |
|---|---|
| die öffentlichen Verkehrsmittel (pl) | public transport |
| das Verkehrsministerium | ministry of transport |
| das Straßennetz | road system |
| das Schienennetz | rail network |
| vorhanden | present, existing |
| das Netz ausbauen | to extend the network |
| das Straßenbauprogramm | road-building programme |
| die Neubaustrecke | new stretch (of road, track) |
| der Ärmelkanal-Tunnel | Channel tunnel |
| sich an den Baukosten (pl) beteiligen | to share the building costs |
| die Kosten (pl) für etw. (+Acc) tragen | to bear the costs of sth. |
| die Sicherheit | safety |
| die Geschwindigkeit | speed |
| der Zeitgewinn | time saving |
| der Fernverkehr | long-distance traffic |
| die Beförderung | movement (of goods) |
| die Strecke (-n) | route, stretch of road |
| die Grenze (-n) | border |
| die Verkehrspolitik richtet sich nach dem Auto | transport policy is geared to the car |
| den Individualverkehr auf öffentliche Verkehrsmittel verlagern | to get private transport users to use public transport |
| der Verkehrsverbund (e) | integrated local transport system |

## B   Die Straßen

### Roads

| | |
|---|---|
| die Schnellstraße (-n) | express road |
| die Fernverkehrstraße (-n) | trunk road |
| die Bundesstraße (-n) | 'A' road |
| die Landstraße (-n) | 'B' road |
| die Nebenstraße (-n) | side-road, minor road |
| das Autobahnkreuz (-e) | motorway junction, intersection |
| die (Autobahn)auffahrt (-en) | slip road (onto motorway) |
| die (Autobahn)ausfahrt (-en) | slip road (leaving motorway) |

| | |
|---|---|
| die Raststätte (-n) | service area |
| die Gebühr (-en) | toll |
| die geschlossene Ortschaft | built-up area |
| der Knotenpunkt (-e) | crossroads, junction |
| die Kreuzung (-en) | |
| die Einbahnstraße (-n) | one-way street |
| die Straße macht eine Kurve (-n) | there is a bend in the road |
| 7km kurvenreiche Strecke | bends for 7km |
| nach rechts abbiegen (ie-o-o) | to turn off to the right |
| die Straße macht eine Rechtskurve | the road bends to the right |
| die Ringstraße (-n) | ring-road |
| die Umleitung (-en) | diversion |
| einen Umweg machen | to make a detour |
| die Ortsumgehung (-en) | by-pass |
| die Straßenbauarbeiten (pl) | roadworks |
| der Engpaß (-pässe) | bottleneck |

## Der Straßenverkehr — Road Traffic

| | |
|---|---|
| der Verkehrsteilnehmer (-) | road-user |
| der Nahverkehr | local traffic |
| das Fahrzeug (-e) | vehicle |
| das Kraftfahrzeug (KfZ) | motor vehicle |
| der Schwerlastverkehr | heavy goods traffic |
| der Güterverkehr | freight traffic |
| der Last(-kraft-)wagen (-), (LKW) | lorry, truck |
| der Lastwagenzug (-̈e) | juggernaut, (US: truck-trailer) |
| der Tankwagen (-) | tanker |
| der Lieferwagen (-) | van |
| im Huckepackverkehr (masc) | by motorrail |
| die Zunahme (+Gen) | increase (in) |
| den Verkehr lenken | to control/regulate traffic |
| die Verkehrsstauung (-en) | traffic jam |
| verstopft | congested |
| die Spitzenzeiten (pl) | peak periods |
| die Hauptverkehrszeit | rush hour |
| der Berufsverkehr | rush hour traffic |
| die verkehrsreiche Straße | busy road |
| der ruhende Verkehr | stationary traffic |
| erhitzte/angespannte Gemüter (nt.pl) | frayed tempers |
| Vorfahrt haben | to have the right of way |

**D**

## Der Individualverkehr

## Private transport

### I Das Autofahren

*Driving*

| | |
|---|---|
| den Führerschein bekommen | to get one's driving licence |
| der Führerschein auf Probe | driving licence for two-year probationary period (for all new drivers) |
| der PKW (Personenkraftwagen) | car (official term) |
| ein starkes Auto | powerful car |
| der Kombi (-s) | estate car |
| die Limousine (-n) | saloon (US: sedan) |
| unentbehrlich | essential, indispensable |
| verkehrssicher | safe, roadworthy |
| der geringe Benzinverbrauch | low petrol consumption |
| die Straßenverkehrsordnung | Highway Code |
| vorsichtig fahren | to drive carefully |
| Gas geben | to accelerate, put one's foot down |
| überholen (*insep*) | to overtake |
| Überholverbot | no overtaking |
| an jm. vorbeifahren | to pass s.o. |
| mit 100 Stundenkilometern (km/h) | at 100 km.p.h |
| das Tempolimit | |
| die Geschwindigkeitsbegren-zung (-en) | speed limit |
| das Limit überschreiten | to exceed the speed limit |
| die Radarfalle | speed trap |
| der Sicherheitsgurt (-e) | seat belt |
| anschnallen | to fasten seat belts |
| die Anschnallpflicht | compulsory wearing of seat belts |
| einen Helm tragen | to wear a helmet |

### 2 Verkehrsverstöße

*Motoring Offences*

| | |
|---|---|
| die Geldstrafe (-n) | fine |
| sie mußte DM100 Strafe bezahlen | she was fined DM100 |
| auf der Stelle | on the spot |
| sein Führerschein wurde entzogen | his licence was confiscated |
| er fährt zu dicht auf | he drives too close to the car in front |
| Abstand halten | to keep one's distance |
| verunglücken | to have an accident |
| einen Unfall verursachen | to cause an accident |
| auf etw. (+Acc) auffahren | to drive into sth. |
| jn überfahren (*insep*) (ä-u-a) | to knock s.o. down |
| der Zusammenstoß (¨e) | crash |
| die Karambolage (-n) | multiple crash |
| frontal zusammenstoßen (ö-ie-o)* | to collide head-on |
| ins Schleudern geraten (ä-ie-a)* | to go into a skid |

| | |
|---|---|
| das Verkehrsopfer (-n) | road casualty |
| die Unfallrate senken | to reduce the number of accidents |
| ein Verkehrshindernis sein | to cause an obstruction |

### 3 Das Parken

*Parking*

| | |
|---|---|
| auf dem Parkplatz | in the car-park |
| das Parkhaus (¨er) | multi-storey car-park |
| die Tiefgarage (-n) | underground car-park |
| der Strafzettel (-) | parking ticket (fine) |
| die Parkrestriktionen (*pl*) | parking restrictions |
| für alle Fahrzeuge gesperrt | closed to all vehicles |
| eine Panne haben | to break down |
| abschleppen | to tow away |
| die Radkralle (-n) | wheel clamp |

### 4 Der Mitfahrer (-)

*Passengers*

| | |
|---|---|
| die Fahrgemeinschaft (-en) | car pool, car-sharing arrangement |
| das Trampen | hitch-hiking |
| jn. mitnehmen | to give s.o. a lift |
| jn. absetzen | to drop s.o. off |
| ich bringe dich zum Bahnhof | I'll take you to the station |
| sich auf den Weg machen | to set off, leave |

## Die Öffentlichen Verkehrsmittel

## Public Transport

| | |
|---|---|
| die S-Bahn, Stadtbahn | high-speed urban railway |
| die Busspur (-en) | bus lane |
| die Busverbindungen (*pl*) | bus service |
| eine verbesserte Linienführung | better service |
| fahren, verkehren | to run (e.g. the bus runs) |
| im Stundentakt | at hourly intervals |
| der überfüllte Bus (-se) | crowded bus |
| der Busbahnhof (¨e) | bus station |
| umsteigen | to change |
| einen Anschluß (¨e) verpassen | to miss a connection |
| halten (*tr/itr*) ⎱ anhalten (*tr/itr*) ⎰ | to stop |

### I Der Schienenverkehr

*Rail Traffic*

| | |
|---|---|
| das Schienennetz modernisieren | to modernise the rail network |
| das Defizit abbauen | to reduce the deficit |
| finanzielle Hilfen (*pl*) | financial help |
| verstärkte Investitionen (*pl*) | increased investment |
| eine Strecke stillegen | to close down a line |
| wenig frequentiert | little used |

| belastet | heavily used |
| dem Schienen- gegenüber dem Straßenverkehr Priorität einräumen | to give rail traffic priority over road traffic |
| zuschlagpflichtig | supplementary fare payable |
| die Zeitkarte (-n) | season ticket |
| eine dichtere Zugfolge | more frequent train service |

### 2 Der Flugverkehr — *Air Traffic*

| die Fluggesellschaft (-en) | airline |
| der Pendelverkehr | shuttle service |
| der Charterflug (¨e) | charter flight |
| die Startbahn (-en) | runway |
| starten* | to take off |
| landen* | to land |
| abstürzen* | to crash |
| die Bruchlandung (-en) | crash-landing |
| die Flugleitung | air traffic control |
| der Luftraum | airspace |
| mit einer Höhe von ... | at an altitude of ... |
| der Fluggast (¨e) | passenger |
| der Flugschreiber (-) | flight recorder, black box |
| der Zeitunterschied | time difference |
| der Jet-Lag }<br>die Schwierigkeiten durch die Zeitumstellung | jet lag |

## F Die Schiffahrt — Shipping

| die Binnenwasserstraßen (pl) | inland waterways |
| die Binnenschiffahrt | inland shipping |
| der Lastkahn (¨e) | barge |
| die Massengüter (pl) | bulk goods |
| die Werft (-en) | shipyard |
| die Hafenstadt (¨e) | port |
| der Matrose (-n) | sailor |
| der Hafen (¨) | harbour, docks, marina |
| eine Kreuzfahrt machen | to go on a cruise |
| auslaufen (äu-ie-au)* | to set sail |
| an Bord | on board |
| die Überfahrt (-en) | crossing, passage |
| die Seereise (-n) | voyage |
| der Liniendampfer (-) | liner |
| der Frachter (-) | freighter |
| Schiffbruch erleiden (ei-i-i) | to be (ship)wrecked |
| das Wrack (-s) | wreck |
| kentern* | to capsize |
| ertrinken (i-a-u)* | to be drowned |
| das Rettungsboot (-e) | lifeboat |

# Technik und Forschung

## 11

## Der Computer

| | |
|---|---|
| das Computerterminal | terminal |
| das Bildschirmgerät | VDU (visual display unit) |
| kompatibel | compatible |
| die Tastatur | keyboard |
| der Speicher | memory |
| speichern | to save |
| die Diskette (-n) | floppy disc |
| der Drucker | printer |
| die Datenbank (-en) | database |
| die Graphik | graphics |
| die Hardware, die Software | hardware, software |
| die Papiermenge reduzieren | to reduce the volume of paper |
| die Datei | file |
| mit dem Zentralcomputer verbunden | linked to the central computer |
| computergesteuert | computer-operated |
| das Datenschutzgesetz | data protection law |
| der Textverarbeitung | word-processing |
| bearbeiten | to edit |
| die Arbeitsplatzstation (-en) | work station (computer) |
| die künstliche Intelligenz | artificial intelligence |
| die Wissensexplosion | the information explosion |
| die Informationsgesellschaft | information technology-based society |
| Computer dringen in fast alle Lebensbereiche ein | computers are affecting almost every aspect of our lives |
| die Zugriffszeit verkürzen | to shorten access time |
| der Zugriff auf Informationen | access to information |

## The Computer

**A**

## Die Bürotechnik

| | |
|---|---|
| fast alle Haushalte verfügen über ein Telefon | almost all homes have a telephone |
| das Ortsgespräch (-e) | local call |
| das Ferngespräch (-e) | long-distance call |
| neue Dienste anbieten | to offer new services |
| der Telefax | fax |
| das Telefaxgerät (-e) | fax machine |

## Office Technology

**B**

| | |
|---|---|
| ein Dokument per Telefax schicken | to fax a document |
| die elektronische Post | electronic mail |
| die Datenfernübertragung | data transmission, transfer |
| die Büroarbeit rationalisieren | to make office work more efficient |
| die Telearbeit | networking |
| die Dezentralisierung | decentralisation |
| von Routinetätigkeiten entlasten | to free from routine chores |
| die Akte (-n) | file |
| der Aktenschrank (-e) | filing cabinet |
| archivieren | to store |
| die Glasfaserkabel | optical fibre cable |
| über die Telefonleitung übermitteln | to transmit by telephone line |

## C Die Industrie / Industry

| | |
|---|---|
| die Fertigungstechnik | production technology |
| es unterliegt einem schnellen Wandel | it's undergoing rapid change |
| beschleunigen | to speed up |
| ersetzen | to replace |
| die Auswirkungen (pl) auf die Arbeitsplätze | effect on jobs |
| menschliche Arbeitskraft durch Technik ersetzen | to replace human labour by technology |
| Arbeitsplätze vernichten | to destroy jobs |
| die Fertigungsstraße (-n) | production line |
| am Fließband arbeiten | to work on the production line |
| Zeit- und Kostenaufwand verringern | to cut costs and time |
| der Technologiepark (-s) | science park |

## D Die Forschung / Research

### I Allgemeine Begriffe / General Concepts

| | |
|---|---|
| forschen über (+Acc) | to research into |
| ein ressortübergreifendes Programm | a cross-disciplinary programme |
| neueste Forschungsergebnisse (pl) | latest research findings |
| Pionierarbeit für etwas leisten | to pioneer sth. |
| das Laboratorium (-rien) das Labor (-s) | laboratory |
| das Reagenzglas (-er) | test-tube |
| eine Methode perfektionieren | to perfect a technique |
| ein Problem lösen | to solve a problem |

| | |
|---|---|
| durch Ausprobieren | by trial and error |
| entwickeln | to develop |
| die Technik | technology |
| der Fortschritt (-e) | progress |
| an der Spitze stehen | to be in the lead |
| führend auf diesem Gebiet ist ... | the leader in this field is ... |
| verbessern | to improve |
| die Lebensqualität | quality of life |
| zurückliegen (ie-a-e) | to lag behind |
| Abhilfe schaffen | to take remedial action |
| die Innovation (-en) | innovation |
| ein Problem bewältigen | to overcome a problem |
| Wirklichkeit werden* | to become reality |
| eine neue Phase einleiten | to mark the start of a new phase |

## 2 Die Weltraumforschung

*Space Research*

| | |
|---|---|
| der Weltraum, das All | space |
| der Raumflug | space flight |
| der Raumtransporter | space shuttle |
| die Umlaufbahn | orbit |
| die Raumsonde (-n) | space probe |
| die Weltraumwaffe (-n) | space weapons |
| neue Erkenntnisse gewinnen (i-a-o) | to gain new knowledge |
| ein uralter Traum | an ancient dream |

## 3 Die Medizinische Forschung

*Medical Research*

| | |
|---|---|
| die Pharmaindustrie | pharmaceutical industry |
| einen Versuch machen | to carry out an experiment |
| neue Operationstechniken erproben | to try out new surgical techniques |
| die Genauigkeit erhöhen | to improve the accuracy |
| Neben- und Nachwirkungen | side- and after-effects |
| der Behandlungserfolg (-e) | successful treatment |
| die Tierversuche (pl) | experiments on animals |
| Versuche an Tieren einstellen | to halt experiments on animals |
| genehmigen | to permit |
| rechtfertigen | to justify |
| die Kosmetika (pl) | cosmetics |
| jn. quälen | to inflict suffering on s.o. |
| die Risiken (pl) für den Patienten vermindern | to lower the risks to the patient |
| als Versuchskaninchen verwenden | to use as a guinea-pig |
| sich einer Organverpflanzung unterziehen (ie-o-o; insep) | to undergo an organ transplant |
| ein geschädigtes Organ ersetzen | to replace a damaged organ |
| der Spender (-) | donor |
| der Empfänger (-) | recipient |

| das Organ abstoßen (ö-ie-o) | to reject the organ |
| der Herzschrittmacher | pace-maker |
| zur Routine werden* | to become routine |

## 4 Die Gen-Technologie
*Genetic Engineering*

| Mikroorganismen (*Dat pl*) neue Eigenschaften verleihen (ei-ie-ie) | to give microorganisms new characteristics |
| der DNS-Code | DNA code |
| der Embryo (-*nen*) | embryo |
| Experimente mit menschlichen Embryonen | experiments on human embryos |
| das Retortenbaby (-*s*) | test-tube baby |
| die Heilung von Erbkrankheiten | the treatment of hereditary diseases |
| das menschliche Erbgut manipulieren | to manipulate human genetic make-up |
| zu ... Zwecken | for ... purposes |
| die Unantastbarkeit/Heiligkeit des ungeborenen Lebens | the sanctity of the unborn child |
| ethische Bedenken (*pl*) | ethical considerations |
| eine Krankheit ausmerzen | to eradicate a disease |
| die Nachweismethode | detection technique |
| eine Methode einsetzen | to use a technique |
| die Überlebensrate steigern | to raise the survival rate |

# Die Umwelt

## Die Probleme

| | |
|---|---|
| die Umwelt | environment |
| der Umweltschutz | environmental conservation |
| schützen (vor +Dat) | to protect (from) |
| umweltfreundliche Produkte (pl) | environmentally friendly products |
| umweltfeindlich | damaging to the environment |
| konsumieren ⎫<br>verbrauchen ⎬ | to consume, use |
| künstlich | artificial |
| im Laufe unseres Lebens | in the course of our lives |
| die Gefährdung (+Gen) | danger (to) |
| die Verschmutzung | pollution |
| verschmutzen ⎫<br>belasten ⎪<br>verunreinigen ⎬<br>verpesten ⎪<br>verseuchen ⎭ | to pollute |
| voll von Schadstoffen | full of harmful substances |
| frei von Schadstoffen | free of harmful substances |
| vernichten ⎫<br>zerstören ⎬ | to destroy |
| verschwenden | to waste |
| schaden (+Dat) | to damage |
| vergiften | to poison |

A

## Die Folgen — The Consequences

| | |
|---|---|
| in den Naturhaushalt eingreifen (ei-i-i) | to upset the balance of nature |
| es hat beängstigende Ausmaße erreicht | it has reached a worrying level |
| man sagt voraus, daß ... | it is forecast that ... |
| die Folgen (pl) voraussagen | to predict the consequences |
| die Folgen sind kaum absehbar | it's hard to say what the consequences will be |
| bis zum Beginn des nächsten Jahrhunderts | by the beginning of the next century |
| um kommender Generationen willen | for the sake of future generations |

B

| | |
|---|---|
| das wird uns teuer zu stehen kommen | that will cost us dear |
| schädliche Auswirkungen (pl) | harmful effects |
| es wird Millionen in das Elend stürzen | it will plunge millions into poverty |
| vor etw. (+Acc) warnen | to warn of sth. |
| die Katastrophe (-n) | disaster |
| was bleibt übrig? | what's left? |
| zurückgreifen auf (+Acc) | to fall back on |
| rücksichtslos | thoughtless |
| gesundheitsgefährdend | damaging to health |
| katastrophale Auswirkungen (f.pl) | catastrophic effects |
| die Immission | effect on people, plants, buildings of noise, pollution etc |

## C  Die Gegenmaßnahmen / Counter-Measures

| | |
|---|---|
| die Schadstoffbelastung mindern | to reduce damage by pollutants |
| die Schäden (pl) eindämmen | to contain the damage |
| der Umweltverstoß (¨e) | action damaging to the environment |
| die Umwelterziehung | environmental education |
| auf die Umweltverschmutzung aufmerksam machen | to raise awareness of environmental pollution |
| das Umweltbewußtsein | environmental awareness |
| eine Wende in der öffentlichen Einstellung zum Umweltschutz | a change in the public's attitude to environmental conservation |
| die Umwelt-Verträglichkeitsprüfung | government test to assess effect of projects on environment |
| ein Produkt mit dem Umweltzeichen kennzeichnen | to give a product a certificate to show that it is environmentally friendly |
| wir müssen schon enstandene Schäden (pl) beseitigen | we must repair damage which has already been done |
| Gegenmaßnahmen (pl) einleiten | to introduce counter-measures |
| grenzüberschreitende Regelungen (pl) | cross-border agreements |
| das Gesetz verschärfen | to tighten up the law |
| den Umweltschutz in die Praxis umsetzen | to put environmental conservation into practice |
| sich zu etw. verpflichten | to commit oneself to sth. |
| ökonomische und ökologische Interessen abwägen | to balance economic and ecological interests |
| ... gilt als unverzichtbar | ... is thought to be indispensable |
| vorsorglich | as a precaution, to be on the safe side |

| | |
|---|---|
| mit etw. sparsam umgehen | to use sth. economically |
| wir sind von ... (+Dat) abhängig | we depend on ... |
| es gibt kein Zurück | there's no going back |
| die Bedrohung der Menschen | threat to humanity |
| um das Überleben der Menschheit zu sichern | in order to ensure the survival of humanity |
| sparsam im Verbrauch | economical |
| ... stellt ein Problem für die Industrie dar | ... represents a problem for industry |
| die langfristigen Auswirkungen bewerten | to assess the long-term effects |
| ... hätte zur Folge, daß ... ⎫<br>... hätte den Effekt, daß ... ⎭ | ...would have the effect that |

## Die Luft

## Air

| | |
|---|---|
| die Emission | emission (of gas etc) |
| der Wasserstoff | hydrogen |
| der Sauerstoff | oxygen |
| der Stickstoff | nitrogen |
| der Kohlenstoff | carbon |
| das Kohlendioxid | carbon dioxide, $CO_2$ |
| das Schwefeldioxid | sulphur dioxide, $SO_2$ |
| giftige Abgase (pl) abgeben | to give off poisonous waste gases |
| in die Atmosphäre blasen | to pump into the atmosphere |
| freisetzen | to release |
| quellen (i-o-o)* aus | to pour from |
| das Gift | poison |
| das Auspuffrohr (e) | exhaust pipe (of vehicle) |
| der saure Regen | acid rain |
| das Waldsterben | widespread destruction of forests by acid rain |
| ehemals dichtbewaldete Flächen (pl) | what were once thickly forested areas |
| die Korrosionsschäden (pl) an Gebäuden | corrosion damage to buildings |
| die Bodenerosion | soil erosion |
| die Entwaldung | deforestation |
| es entsteht durch ... | it results from ... |
| die Spray-Dose (-n) | aerosol |
| sprühen | to spray |
| FCKW (Fluorchlorkohlenwasserstoffe) | CFCs (chloroflourocarbons) |
| das Treibgas | propellant (in aerosol) |
| das Kühlmittel (-) | coolant |
| die Ozonschicht | ozone layer |
| das Ozonloch | hole in the ozone layer |

73

| | |
|---|---|
| ultraviolette (UV) Strahlen (*pl*) | ultraviolet (UV) rays |
| ein vermehrtes Auftreten von Hautkrebs | an increased incidence of skin cancer |
| die Erwärmung der Erdatmosphäre | global warming |
| der Treibhauseffekt | greenhouse effect |
| die Klimaveränderungen (*pl*) | changes to the climate |
| der Anstieg des Meeresspiegels | rise in sea-level |
| das Abschmelzen der Polkappen | melting of ice-caps |
| die Überflutung der Küstenstreifen | flooding of coastal regions |
| die Dürre | drought |
| bleifrei tanken | to use lead-free petrol |
| verbleit | leaded |
| der Katalysator | catalytic convertor |
| der Ruß | soot |
| Autos müssen reduzierten Abgaswerten genügen | cars have to meet stricter exhaust controls |
| die Steuervorteile (*pl*) | tax incentives |
| der geringe Benzinverbrauch | low fuel consumption |
| die Verkehrsberuhigung | building a road so that high speeds are impossible/"traffic-calming" |
| Autofahrer am Rasen hindern | to make drivers slow down |
| die Geschwindigkeitsbegrenzung (*-en*) | speed limit |

## E   Das Wasser / Water

| | |
|---|---|
| der Stausee (*-n*) | reservoir |
| in das Grundwasser sickern | to seep into the ground water |
| der Wasserspiegel | water level |
| die Wasservorräte (*pl*) | water reserves |
| die Wasserversorgung | water supply |
| Chemikalien ins Gewässer ablassen | to release chemicals into rivers, lakes |
| das Abwasser | sewage |
| die Kläranlage (*-n*) | sewage treatment plant |
| industrielle Abwässer (*pl*) | industrial effluent |
| die Aufnahmekapazität des Meeres für Schadstoffe | ability of the sea to absorb pollutants |
| die Anrainerstaaten (*pl*) der Nordsee | countries bordering on the North Sea |

## F   Der Boden / The Soil

| | |
|---|---|
| die Landwirtschaft | agriculture |
| hohe Nitratgehalte (*pl*) | high concentrations of nitrates |

| | |
|---|---|
| in Gebieten mit intensiver Landwirtschaft | in areas with intensive agriculture |
| die steigende Agrargüter-Erzeugung | rising agricultural production |
| künstliche Düngemittel (*pl*) verwenden | to use artificial fertilisers |
| den Boden belasten | to pollute the soil |
| die Rückstände (*pl*) | residues |
| die Entwässerung | drainage |
| die Ansammlung von Pestiziden (*pl*) im Boden | the build-up of pesticides in the soil |
| Schadstoffe gelangen* über die Nahrungskette in den Körper | pollutants reach the body by way of the food chain |
| der Rohstoffabbau | mining of raw materials |
| den Regenwald vernichten | to destroy the rain forest |
| mit Urwald bedeckt | covered with virgin forest |
| das Land/den Wald roden | to clear land/forest |
| die Entwaldung | deforestation |
| das Naturschutzgebiet (-e) | nature reserve |
| ein empfindliches Öko-System | a delicate eco-system |
| gefährdete Tier- und Pflanzenarten | threatened animal & plant species |
| aussterben (i-a-o)* | to become extinct |
| ausrotten | to exterminate |

## Der Müll / Rubbish

| | |
|---|---|
| der Sperrmüll | bulky items of refuse |
| der Problem-Müll | batteries, paint, oil etc |
| die Problemmüllsammelstelle (-n) | collection point for old paint, oil, etc |
| die Müllabfuhr | refuse collection |
| die Abfallentsorgung | waste disposal |
| die Mülldeponie (-n) | rubbish dump |
| die Müllverbrennungsanlage | refuse incinerator plant |
| den Müll getrennt sammeln | to collect different types of rubbish separately |
| es kommt alles in den Mülleimer | it all goes into the dustbin |
| wegschmeissen ⎱ wegwerfen ⎰ | to throw away |
| die wilde Müllkippe (-n) | illegal rubbish dump |
| die Verklappung | dumping of industrial waste at sea |
| die Plastiktüte (-n) | plastic bag |
| Abfälle auf die Straße werfen | to drop litter in the street |
| der Kunststoffcontainer (-) | plastic container |
| die Einwegflasche (-n) | non-returnable bottle |
| die Mehrwegflasche (-n) | returnable bottle |
| die Alu-Dose (-n) | aluminium can |
| der Schrott | scrap metal |

| | |
|---|---|
| der Autoschrott | scrap cars |
| die Pfandflasche (-n) | returnable bottle |
| leere Flaschen zum Altglascontainer bringen | to take empty bottles to the glass recycling skip |
| das Recycling | recycling |
| wiederverwerten | to recycle |
| wiederverwertbar | recyclable |
| der Mangel an Rohstoffen (pl) | the shortage of raw materials |
| Rohstoffe (pl) wiedergewinnen | to reclaim raw materials |
| aus Altpapier | made from recycled paper |
| fertigen | to manufacture |
| zu neuen Produkten verarbeiten | to turn into new products |
| die Kartonage (-n) | cardboard packaging |
| die Verpackungen (pl) | packaging |
| biologisch abbaubar | bio-degradable |

## Die Energie

## Energy

### 1 Fossile Brennstoffe

### Fossil Fuels

| | |
|---|---|
| der Energiebedarf | energy requirements |
| der Energieverbrauch | energy consumption |
| die Kohle | coal |
| das Gas | gas |
| das Öl | oil |
| die Erdölförderung | oil production |
| erschöpft werden | to run out |
| das Rohöl | crude oil |
| der Preis fiel auf $x je Barrel | the price fell to $x a barrel |
| das Benzin | petrol, gas (USA) |
| der Dieselkraftstoff | diesel fuel |
| die Erdölförderländer (pl) | oil-producing countries |
| einen Ölteppich beseitigen | to clean up an oil slick |

### 2 Die Atomenergie

### Atomic Energy

| | |
|---|---|
| die Kernenergie | atomic energy |
| das Kernkraftwerk (KKW) | nuclear power station |
| der Brennstoff | fuel |
| die Brennstäbe (pl) | fuel rods |
| der GAU (Größter anzunehmender Unfall) | MCA (maximum credible accident) |
| das Kernschmelzen | meltdown |
| die Strahlung | radiation |
| sollten wir das Risiko eingehen? | should we take the risk? |
| zum Antrieb von Turbinen einsetzen | to use to drive turbines |
| die Wiederaufbereitungsanlage (WAA) | nuclear reprocessing plant |

| | |
|---|---|
| der Kernreaktor, der Atomreaktor | nuclear reactor |
| die Endlagerung radioaktiver Abfälle | the storage of radioactive waste |
| ein Atomkraftwerk stillegen | to close down a nuclear power station |
| ein Atomkraftwerk in Betrieb nehmen | to commission a nuclear power station |

## 3 Erneuerbare Energiequellen

*Renewable Energy Sources*

| | |
|---|---|
| alternative Energiequellen entwickeln | to develop alternative energy sources |
| energiesparend | energy-saving |
| der globale Energieverbrauch | total energy consumption |
| die Wasserkraft | hydro-electric power |
| die Sonnenenergie | solar energy |
| die Windenergie | wind power |
| die geothermische Energie | geothermal energy |
| die Wellenenergie | wave power |
| die Gezeitenenergie | tidal power |
| das ist hier nicht zu verwirklichen | this could not be put into effect here |
| sie werden schon kommerziell betrieben | they are already in commercial use |
| sie können nicht Energie kontinuierlich liefern | they cannot supply energy constantly |
| ihr Einsatz wird eingeschränkt durch ... | their use is limited by ... |
| der Ausbau dieser Anlagen wird vorgesehen | further building of these plants is planned |
| den Verbrauch auf das Nötigste einschränken | to limit consumption to the minimum |

## 4 Konservierung zu Hause

*Conservation at Home*

| | |
|---|---|
| die Isolierung | insulation |
| isolieren | to insulate |
| große/geringe Energiegewinne (pl) | large/small energy savings |
| die Doppelfenster (pl) | double glazing |
| die dreifache Verglasung | triple glazing |
| die Regelanlage einstellen | to adjust the time/temperature unit |
| lüften | to ventilate |
| schonen | to conserve |
| dadurch könnte man bis zu 20% Energie sparen | by this method energy savings of up to 20% could be made |
| auf etw. verzichten | to do without sth. |
| ein besserer Ausnutzungsgrad | more efficient use |

# Geographie

*These place names sometimes cause difficulty:*

| | |
|---|---|
| die Ostsee | Baltic Sea |
| der Pazifik | Pacific Ocean |
| der Kanal | the Channel |
| das Mittelmeer | Mediterranean Sea |
| der Bodensee | Lake Constance |
| die Donau | River Danube |
| der Rhein | River Rhine |
| die Themse | River Thames |
| Aachen | Aachen, Aix-la-Chapelle |
| Brügge | Bruges |
| Brüssel | Brussels |
| Dünkirchen | Dunkirk |
| Genf | Geneva |
| Genua | Genoa |
| den Haag | The Hague |
| Lüttich | Liege |
| Mailand | Milan |
| Moskau | Moscow |
| Mülhausen | Mulhouse |
| München | Munich |
| Neapel | Naples |
| Nizza | Nice |
| Nürnberg | Nuremberg |
| Straßburg | Strasbourg |
| Venedig | Venice |
| Warschau | Warsaw |
| Wien | Vienna |
| Lettland | Latvia |
| Siebenbürgen (in Rumänien) | Transylvania |
| der Nahe Osten | the Middle East |
| der Ferne Osten | the Far East |

# Stadt - und Landleben

**14**

## Die Stadt

| | |
|---|---|
| die Stadt Stuttgart | city of Stuttgart |
| die Stuttgarter (-er invar.) Kirchen | Stuttgart's churches |
| der Einwohner (-) | inhabitant |
| der Stadtbewohner (-) | town-dweller |
| die städtische Bevölkerung | the urban population |
| der Bürger (-) | citizen |
| die Großstadt (¨e) | city, large town |
| die Verwaltung (-en) ⎫ | |
| die Behörde (-n) ⎭ | administration, authorities |
| das Ballungsgebiet (-e) | conurbation |
| die Schlafstadt (¨e) | dormitory town |
| einen Stadtbummel machen | to go for a stroll round town |
| das kulturelle Leben | cultural life |
| zentral gelegen | situated in the town centre |
| die städtische Lebensweise | city way of life |

## The Town

**A**

## Die Städteplanung

| | |
|---|---|
| die Stadtmitte ⎫ | |
| das Stadtzentrum (-zentren) ⎭ | town centre |
| die Altstadt (¨e) | old part of town |
| das Stadtbild | features of the town |
| der Stadtrand | outskirts |
| die Vorstadt (¨e) | suburbs |
| das Stadtviertel (-) | district |
| das Wohngebiet (-) | housing area |
| die Wohnsiedlung (-en) | housing estate |
| das Industriegebiet (-e) | industrial estate |
| das Gebäude (-) | building |
| das Hochhaus (¨er) | sky-scraper |
| die Zentrale (-n) | head office |
| das Lagerhaus (¨er) | warehouse |
| die Fabrik (-en) | factory |
| der Wohnblock (¨e) | block of flats |
| der Wohnsilo (-s) | rabbit hutches (pej) |
| das möblierte Zimmer (-) | bed-sit |
| das Einkaufszentrum (-zentren) | shopping centre |

## Town Planning

**B**

| | |
|---|---|
| die Fußgängerzone (-n) | pedestrian zone |
| die Passage (-n) | shopping arcade |
| der Bürgersteig | pavement |

**C**

## Wohnungen

## Housing

| | |
|---|---|
| der Städtebau | urban development |
| der Wohnungsbedarf | housing needs |
| der Wohnungsmangel ⎫ die Wohnungsnot ⎭ | housing shortage |
| heimatlos | homeless |
| die Wohnverhältnisse (pl) | living conditions |
| das Wohnungsbauprogramm | housing programme |
| instandsetzen | to repair |
| instandhalten | to maintain |
| modernisieren | to modernise |
| vernachlässigen | to neglect |
| abreißen (ei-i-i) | to pull down |
| einstürzen* | to fall down |
| baufällig | dilapidated, unsafe |
| der Immobilienmakler (-) | estate agent |
| das Einzelhaus (-̈er) | detached house |
| das Fertighaus (-̈er) | prefabricated/kit house |
| vorfabrizieren | to prefabricate |
| der Beton | concrete |
| wohnlich | homely, cosy |
| die Wohngemeinschaft (-en) | people sharing house |
| der Wohnungsbesetzer (-) | squatter |
| besetzen | to occupy |
| besitzen (i-a-e) | to own |
| der Mieter (-) | tenant |
| der Vermieter (-) | landlord |
| die Miete (-n) | rent |
| die Eigentumswohnung (-en) | owner-occupied flat |
| etw. steuerlich fördern | to give tax incentives for sth. |
| die soziale Wohnung (-en) | council flat |
| leerstehen | to stand empty |
| die Baustelle (-n) | building site |
| der Bedarf an Bauland | the need for building land |
| das Grundstück (-e) | building plot |
| die Hypothekezinsen (pl) | mortgage rates |
| sanieren | to clean up, renovate |
| die Straßenbeleuchtung | street lighting |
| verschönern | to beautify |

## Probleme

## Problems

| | |
|---|---|
| der Härtefall (-̈e) | case of hardship |
| der Trend zu Einpersonenhaushalten | the trend towards single-person households |
| das Elendsviertel (-) | slums |
| die Bidonville (-s), der Slum | shanty town |
| das Ödland | waste land |
| der Straßenraub | mugging (category of crime) |
| der Überfall (-̈e) | mugging (incident) |
| betteln | to beg |
| der Bettler (-) | beggar |
| der Stadtstreicher (-) | vagrant |
| die Stadtstreicherei | vagrancy |
| obdachlos | homeless |
| im Freien übernachten | to sleep rough |
| die Betonwüste | concrete jungle |
| die Einsamkeit | loneliness |
| benachteiligt | deprived |
| die Anonymität | anonymity |
| die Gesellschaft | company (of other people) |
| der Pendler (-) | commuter |
| der Berufsverkehr | commuter/rush-hour traffic |
| die Stadtflucht | exodus from the cities |
| die Bodenpreise schnellen* in die Höhe | land prices are going through the roof |

## Die Landwirtschaft

## Agriculture

| | |
|---|---|
| der Landbewohner (-) | country dweller |
| der Bauer (-)/Bäuerin (-nen) }<br>der Landwirt (-e) | farmer |
| der Kleinbauer | smallholder |
| der Großbetrieb (-e) | large farm |
| erben | to inherit |
| das Bauerndorf (-̈er) | farming community |
| die Landwirtschaft | agriculture |
| pflügen | to plough |
| ernten | to harvest |
| die Ernte (-n) | harvest |
| der Mähdrescher (-) | combine harvester |
| säen | to sow |
| anbauen | to grow sth. |
| das Getreide | cereal crops |
| der Weizen | wheat |
| der Getreidebau | arable farming |
| die Milchviehhaltung | dairy farming |

| die künstlichen Düngemittel | artificial fertilisers |
| das Land ökologisch bewirtschaften | to farm organically |
| das Feld (-er) | field |
| die Wiese (-n) | meadow |
| der Winzer (-) / der Weingärtner (-) | wine-grower |
| der Weinberg (-e) | vineyard |
| die Weinlese (-n) | grape harvest |
| die Forstwirtschaft | forestry |
| Bäume einschlagen, fällen | to fell trees |
| den Wald roden | to clear forest land |
| wiederaufforsten | to reforest |
| das Wild | game |

## Die Zukunft

## The Future

| die Flurbereinigung | reparcelling of agricultural land into fields of economic size |
| rentabel | economic |
| leistungsfähig | efficient |
| die zunehmende Mechanisierung | increasing mechanisation |
| der Pächter (-) | tenant farmer |
| verpachten | to lease out |
| die Genossenschaft (-en) | cooperative |
| die gemeinsame Agrarpolitik | Common Agricultural Policy (CAP) |
| die Quoten (pl) für die Milcherzeugung | milk production quotas |
| die Nahrungsmittelproduktion | food production |
| die Überschußproduktion drosseln | to cut back surplus production |
| aus der landwirtschaftlichen Nutzung herausnehmen | to set aside (from agricultural use) |

## Auf dem Land leben

## Living in the Country

| hinter dem Mond leben | to live in the sticks |
| das Erholungsgebiet | holiday/recreation area |
| unberührte Natur erleben | to enjoy unspoiled countryside |
| der Berggipfel (-) | mountain top |
| bergig | mountainous |
| die Küste (-n) | coast |
| die Bucht (-en) | bay |

# Die Rechtsordnung

Note that there are many differences between the German legal system and those of Britain or the USA; take great care when looking for equivalents in, for instance, courts or procedures.

## Die Rechtsordnung — Legal System

| | |
|---|---|
| der Rechtsstaat | the rule of law |
| das Recht | justice, legal system |
| das Recht (-e) | right |
| das Völkerrecht | international law |
| die Menschenrechte (*pl*) | human rights |
| einen Rechtsanspruch auf etw. haben | to be within one's rights to do sth. |
| die Gerechtigkeit | justice |
| (un-)gerecht | (un-)just |
| das Recht beanspruchen, etw. zu machen | to claim the right to do sth. |
| der Bürger wird dadurch in seinen Rechten verletzt | this violates basic civil rights |
| das Gesetz (-e) | law, statute |
| das Arbeitsrecht | labour law |
| die Verordnung (-en) | by-law |
| etwas für rechtmäßig erklären | to make sth. legal |
| in Kraft treten (i-a-e)* | to come into force |
| gesetzlich | by law |
| etw. kriminalisieren | to make sth. a criminal offence |
| schützen vor (+Dat) | to protect from |
| das Gericht (-e) | court |
| das Bundesverfassungsgericht | constitutional court |
| die Todesstrafe abschaffen | to abolish the death penalty |
| der Prozeß (-/sse) | trial |
| der Jurist (-en) | lawyer |
| der Richter (-) | judge |
| der Staatsanwalt (-̈e)/die Staatsanwältin (-nen) | public prosecutor |
| der Rechtsanwalt (-̈e) | lawyer, barrister |

**B**

| Das Privatrecht | Civil Law |
|---|---|
| jn. verklagen | to take s.o. to court |
| den Rechtsweg eingehen* | to take legal proceedings |
| eine Sache vor Gericht bringen | to go to court over sth. |
| jn. auf etw. (+Acc) verklagen | to sue s.o. over sth. |
| die Scheidung einreichen | to sue for divorce |
| sie bekam £n Schadensersatz zugesprochen | she was awarded £n damages |
| die Beleidigung ⎫<br>die Verleumdung ⎭ | slander, libel |

**C**

| Das Öffentliche Recht | Criminal Law |
|---|---|
| die Straftat (-en) | criminal offence |
| ein Verbrechen begehen (irreg) | to commit a crime |
| kriminell leben | to lead a life of crime |
| ein kleineres Vergehen | a minor offence |
| gegen das Gesetz verstoßen (ö-ie-o) | to break the law |
| der Vorbestrafte (adj. noun) | person with a criminal record |
| kriminell werden | to become a criminal |
| die Bandenkriminalität | organised crime |
| der Verbrecher (-) | criminal |
| der Mittäter | accomplice |
| der Einbruch | burglary |
| der Einbrecher (-) | burglar |
| der Dieb (-e) | thief |
| der Diebstahl | theft |
| stehlen (ie-a-o) | to steal |
| der Taschendieb (-) | pickpocket |
| der Ladendiebstahl | shoplifting |
| einen Bankraub verüben | to commit a bank robbery |
| mit Diebesgut handeln | to receive stolen goods |
| die Sachbeschädigung | damage to property |
| der Vandalismus | vandalism |
| mutwillig beschädigt | damaged by vandals |
| die Bestechung | bribery |
| die Erpressung | blackmail |
| die Unterschlagung | embezzlement |
| der Betrug | fraud |
| die Steuerhinterziehung | tax evasion |
| mißbrauchen | to misuse |
| der Datenschutz | data protection |
| personenbezogene Daten | personal data |
| in die Hände von Unbefugten gelangen (i-a-u)* | to fall into the wrong hands |

| | |
|---|---|
| schwarzarbeiten | to work without a permit, to moonlight |
| schwarzfahren* | to travel without a ticket/drive without a licence |
| die Parkkralle (-n) | wheel clamp |
| krallen | to wheel-clamp |
| das Verkehrsdelikt (-e) | traffic offence |

## Die Gewalt — Violence

D

| | |
|---|---|
| die Gewalttätigkeit | violence |
| gewaltsam | by force |
| die Körperverletzung | grievous bodily harm |
| einschüchtern | to intimidate |
| die Vergewaltigung | rape |
| entführen | to kidnap |
| ein Lösegeld verlangen | to demand a ransom |
| das Opfer (-) | victim |
| in Notwehr handeln | to act in self-defence |
| der Mord (-e) *(an jm.)* | murder (of s.o.) |
| der Mörder (-) | murderer |
| ermorden | to murder, assassinate |
| kaltblütig | in cold blood |
| der Schuß (¨sse) | shot |

## Die Öffentliche Ordnung — Public Order

E

| | |
|---|---|
| die Ordnungskräfte *(pl)* | law and order |
| gesetzestreu | law-abiding |
| das Recht selbst in die Hand nehmen | to take the law into one's own hands |
| die Jugendkriminalität | juvenile delinquency |
| der jugendliche Straftäter | young offender |
| die Gang (-s), die Bande (-n) | gang |
| eine Demonstration veranstalten | to hold a demonstration |
| friedlich | peaceful |
| außer Kontrolle geraten (ä-ie-a)* | to get out of hand |
| die Schlägerei (-en) | (fist) fight |
| der Krawall (-e) | riot |
| auf jn. schießen | to shoot at s.o. |
| jn. erschießen | to shoot s.o. dead |
| er schoß sie in den Arm | he shot her in the arm |
| etw. in Brand stecken | to set fire to sth. |

**F**

## Die Polizei

## Police

| | |
|---|---|
| die Verbrechensbekämpfung | the fight against crime |
| die Verbrechensrate | crime rate |
| die Aufklärungsquote | detection rate |
| das Überfallkommando | riot police |
| die Schutzausrüstung | riot gear |
| das Tränengas | tear gas |
| die Polizei fährt in diesem Viertel | the police patrols this area |
| der Streifenwagen (-) | patrol car |
| eine Razzia (pl Razzien) machen | to raid, make a swoop on |
| die Fahndung | search |
| der Kriminalbeamte (adj noun) | detective |
| die Kriminalpolizei | CID |
| die Kriminaltechnik | forensic science |
| die Fingerabdrücke (pl) | finger prints |
| das Phantombild (-er) | identikit picture |
| die Spur (-en) | clue |
| untersuchen | to investigate, search |
| gegen jn. ermitteln | to investigate s.o. |
| in einem Fall ermitteln | to investigate a case |
| aufspüren | to track down |
| ein Verbrechen aufklären | to solve a crime |
| verhaften | to arrest |
| einen Verbrecher fangen | to catch a thief |
| jn. auf frischer Tat ertappen | to catch s.o. red-handed |
| einen Dieb fassen | to catch a thief |
| jn. beim Einbrechen stellen, erwischen | to catch s.o. breaking in |
| jm. Handschellen anlegen | to handcuff s.o. |
| jn. auf das Polizeirevier bringen | to take s.o. to the police station |
| jn. vernehmen, verhören | to question s.o. |
| er bleibt in Untersuchungshaft | he's been remanded in custody |
| man hat sie auf Kaution freigelassen | she's out on bail |
| die Verbrechensverhütung | crime prevention |
| bei (+Dat) hart durchgreifen | to clamp down on |
| entkommen* (o-a-o) | to escape |

## Vor Gericht

## In Court

| | |
|---|---|
| die Schöffen (pl) | jury |
| ihr Fall kam vor Gericht | her case came before the court |
| vor Gericht erscheinen* | to appear in court |
| jn. (wegen +Gen) anklagen | to charge s.o. (with) |
| unter Mordanklage stehen | to be on a murder charge |
| er wurde des Mordes angeklagt | he was charged with murder |

| | |
|---|---|
| auf der Anklagebank sitzen | to be in the dock |
| sich (nicht) schuldig bekennen | to plead (not) guilty |
| der/die Angeklagte (*adj. noun*) | defendant |
| die Anklagevertretung | counsel for the prosecution |
| die Verteidigung | counsel for the defence |
| jn. ins Kreuzverhör nehmen | to interrogate s.o. |
| der Zeuge (-*n*)/Zeugin (-*nen*) | witness |
| jn. als Zeuge vorladen | to call a witness |
| der Augenzeuge | eye-witness |
| für/gegen jn. aussagen | to give evidence for/against s.o. |
| das Beweismaterial | evidence |
| die Aussage (-*n*) | statement |
| etw. in Frage stellen | to call sth. into question |
| beweisen | to prove |
| widerlegen | to disprove |
| einen Meineid leisten | to commit perjury |
| das Urteil verkünden | to pass sentence |
| jn. (nicht) schuldig sprechen | to find s.o. (not) guilty |
| jn. freisprechen | to acquit s.o. |
| aus Mangel an Beweisen | due to insufficient evidence |
| das Urteil (-*e*) | judgement, verdict |
| die Strafe soll dem Verbrechen angemessen sein | the punishment should fit the crime |
| hart | severe |
| milde | lenient |
| härtere Strafen sind kein Heilmittel | harsher penalties are not the answer |
| jn. zu einer Geldstrafe verurteilen | to fine s.o. |
| sie muß DM100 Strafe bezahlen | she's been fined DM100 |
| jn. ins Gefängnis schicken | to send s.o. to prison |
| der Gefangene | prisoner |
| ins Gefängnis kommen | to go to prison |
| die lebenslängliche Freiheitsstrafe | life sentence |
| er wurde zu 6 Monaten Haft verurteilt | he was sentenced to six months imprisonment |
| jn. kriminalisieren | to criminalise s.o. |
| Berufung einlegen | to appeal |
| Verbrechen lohnen sich nicht | crime doesn't pay |

# Einwanderung und Rassismus

## 16

## A | Die Einwanderung — Immigration

| | |
|---|---|
| der Aussiedler | immigrant from former Eastern bloc countries |
| der Übersiedler | immigrant from former DDR |
| die ehemalige DDR | what used to be the DDR |
| in die BRD übersiedeln | to emigrate to the Federal Republic |
| der ausländische Arbeitnehmer }<br>der Gastarbeiter | foreign worker |
| anwerben (i-a-o) | to recruit |
| das Herkunftsland (¨er) | country of origin |
| die Ausreisebestimmungen lockern | to relax emigration laws |
| der Ausreisewillige (adj. noun) | prospective emigrant |
| die Freizügigkeit | freedom of movement |
| das Rote Kreuz | the Red Cross |
| die Aufenthaltserlaubnis (-se) | residence permit |
| über eine Arbeitserlaubnis verfügen | to have a work permit |
| der Ausreiseantrag | application for emigration permit |
| das Ausreisevisum | exit visa |
| das Aufnahmeverfahren abschließen | to complete admission procedures |
| er hat das Recht auf Einbürgerung in die BRD | he has the right to German citizenship |
| die doppelte Staatsbürgerschaft | dual nationality |
| das Aufenthaltsrecht | the right to residence |
| repatriieren | to repatriate |
| Eingliederungsgeld erhalten | to receive financial aid (to assist integration) |
| das Notaufnahmelager | reception centre, transit camp |
| die Unterbringung | accommodation |
| soziale Leistungen | social services |
| integrieren | to absorb, integrate |

## B | Die Probleme für das Gastland — Problems for the Host Country

| | |
|---|---|
| sie wohnen geballt in bestimmten Regionen | they live predominantly in certain areas |

| | |
|---|---|
| das Ghetto | ghetto |
| der Anteil der Ausländer an der Bevölkerung liegt bei n% | there is an immigrant population of n% |
| die Wirtschaft kann ausländische Arbeitskräfte nicht entbehren | the economy cannot do without foreign workers |
| Ehegatten folgen ihren Partnern | spouses join their partners |
| sie holen ihre Familien nach | they bring their families over |
| die soziale Integration | social integration |

## Die Probleme der Einwanderer
## Problems for the Immigrants

C

| | |
|---|---|
| sich auf Deutsch mündlich verständigen können | to be able to make oneself understood in German |
| kulturelle Unterschiede (pl) | cultural differences |
| die kulturelle Identität wahren | to maintain one's cultural identity |
| Ausländer der zweiten Generation | second generation immigrants |
| vom sozialen Aufstieg ausgeschlossen | excluded from social advancement |
| unqualifizierte Arbeit | unskilled work |
| niedrig | menial |
| die Unterschicht | the under-class |
| schlechtbezahlt | poorly paid |
| elend, erbärmlich | squalid |
| schlechte Wohnbedingungen | poor living conditions |
| von der Arbeitslosigkeit stark betroffen | badly affected by unemployment |
| in ihre Heimat zurückkehren* | to return home |
| finanzielle Anreize (pl) zur Rückkehr in die Heimat / die Rückkehrhilfe | financial incentives to return home |

## Flüchtlinge und Asylanten
## Refugees and Asylum Seekers

D

| | |
|---|---|
| das Asylrecht | the right to asylum |
| der Asylant | asylum seeker |
| einen Asylantrag billigen/ablehnen | to approve/turn down an application for asylum |
| der Flüchtling | refugee |
| der Vertriebene (adj. noun) | refugee, exile |
| enteignen | to expropriate, dispossess |
| die ethnische Minderheit | ethnic minority |
| Angst haben vor (+Dat) | to fear |
| die Unterdrückung | oppression |
| die Armut | poverty |
| verfolgen | to persecute |

| | |
|---|---|
| wegen ihrer politischen Überzeugung | because of their political views |
| die Naturkatastrophe (-n) | natural disaster |
| Flüchtlinge aufnehmen | to admit/absorb refugees |
| Asylgesetze (pl) verschärfen | to tighten up the law on the granting of asylum |
| den Zuzug von Flüchtlingen möglichst gering halten | to keep the influx of immigrants as low as possible |
| den Zuzug sperren | to stop the influx of immigrants |
| die Gleichberechtigung | equal rights |
| die Ungleichheit | inequality |

## Der Rassismus

## Racism

| | |
|---|---|
| die Ausländerfeindlichkeit | hatred of foreigners |
| der Rassismus | racism |
| die Rassendiskriminierung | racial discrimination |
| Rassenvorurteile (pl) haben | to be racially prejudiced |
| gegen jn. diskriminieren | to discriminate against s.o. |
| schikanieren | to harass, bully |
| terrorisieren | to terrorise |
| zusammenschlagen | to beat up |
| der Rassenkrawall (-e) | race riot |
| die Rassenunruhen (pl) | racial disturbances |
| wieder auftauchen | to resurface |
| das Wiederaufleben | resurgence |
| den Groll anfachen | to fuel resentment |
| der Neo-Nazismus | neo-Nazism |
| der Halbstarke (adj. noun) | thug |
| auf Rassismus zurückzuführen | racially motivated |
| die Eskalation | escalation |
| Ängste ausnutzen | to play on fears |
| das Mißtrauen | mistrust |
| die kulturelle Vielfalt | cultural diversity |
| die Feindseligkeit | hostility |
| auf beiden Seiten | on both sides |
| leiden unter (+Dat) | to suffer from |
| der kulturelle Konflikt | cultural clash |
| der Islam, islamisch | Islam, islamic |
| die Moschee (-n) | mosque |
| der Judaismus, jüdisch | Judaism, Jewish |
| der Jude (-n)/Jüdin (-nen) | Jew/Jewess |
| der Antisemitismus | anti-Semitism |
| die Synagoge (-n) | synagogue |
| die Vergangenheitsbewältigung | coming to terms with the guilt of the past |

# Das Kulturleben

## 17

## Die Musik | Music

| | |
|---|---|
| das Kammerorchester | chamber orchestra |
| der Chor (¨e) | choir, chorus, choral work |
| die Kapelle (-) | band (brass, etc) |
| der Musiker (-) | musician |
| der Dirigent (-en) | conductor |
| dirigieren | to conduct |
| die Blechbläser (pl) | brass section |
| die Holzbläser (pl) | woodwind section |
| die Streicher (pl) | strings section |
| das Schlagzeug | percussion section |
| die Saite (-n) | string |
| der Solist (-en) | soloist |
| der Virtuose (-n)/die Virtuosin (-nen) | virtuoso |
| die Oper (-n) | opera |
| die Symphonie (-n) | symphony |
| das Konzert (-e) | concerto, concert |
| die Noten (pl) / die Partitur (-en) | score |
| die Noten (pl) | (sheet) music |
| das Stück (-e) | piece of music |
| der Komponist (-en) | composer |
| komponieren | to compose, write music |
| der Konzertsaal (-säle) | concert hall |
| in die Oper gehen | to go to the opera |
| ins Konzert gehen | to go to a concert |
| die zeitgenössische Musik | contemporary music |
| musizieren | to play a musical instrument |
| klingen | to sound |
| der Flügel (-) | grand piano |
| der Straßenmusikant (-en) | street musician, busker |
| die Band (-s) | band (pop) |
| die Musikbox (-en) | juke box |
| die Berieselungsmusik | canned music, muzak |

## Die Kunst | Art

| | |
|---|---|
| die bildenden Künste (pl) | fine arts |
| der Künstler (-) | artist |

| das Kunstwerk (-e) | work of art |
| die Ausstellung (-en) | exhibition |
| das Gemälde (-) | painting (object) |
| die Malerei | painting (art form) |
| malen | to paint |
| skizzieren | to sketch |
| der (Mal-)Stil | style (of painting) |
| das Aquarell (-e) | water colour (painting) |
| das Ölgemälde (-) | oil painting |
| das Porträt (-s) | portrait |
| das Meisterwerk (-e) | masterpiece |
| im Vordergrund | in the foreground |
| im Hintergrund | in the background |
| die Skulptur, die Bildhauerkunst | sculpture (art form) |
| die Skulptur (-en), die Plastik (-en) | sculpture (object) |
| die Statue (-n) | statue |
| darstellen | to represent |
| kitschig | trashy, posing as art |
| die Grafik | graphic art |
| entwerfen (i-a-o) | to design |
| die Architektur ⎱ die Baukunst ⎰ | architecture |
| architektonisch | architectural |

## Theater und Film — Theatre and Film

| das Stück (-e) | play |
| gegeben werden* | to be on, showing |
| aufführen | to perform (tr) |
| auftreten* | to perform (itr) |
| die Aufführung (-en) | performance (of play) |
| seine Darstellung des Hamlets | his performance of Hamlet |
| die Generalprobe (-n) | dress rehearsal |
| eine Rolle spielen | to play a part |
| die Erstaufführung (-en) | first night |
| die Besetzung | cast |
| der Schauspieler (-) | actor |
| die Inszenierung | production |
| der Regisseur (-s) | director |
| Regie führen bei (+Dat) | to direct |
| die Bühne (-n) | stage |
| die Kulissen (pl) | wings |
| das Bühnenbild (-er) | set |
| die Beleuchtung | lighting |
| die Kostüme (pl) | costumes, wardrobe |
| die Pause (-n) | interval |
| durchfallen (ä-ie-a)* | flop |

| | |
|---|---|
| der Erfolg (-e) | success |
| das Laientheater | amateur dramatics |
| die Komödie (-n) | comedy |
| die Tragödie (-n) | tragedy |
| Subventionen erhalten | to receive subsidies |
| das Repertoiretheater | repertory theatre |
| die Zuschauer (pl) <br> das Publikum } | audience |
| wir haben ein Abonnement im Theater | we have a season-ticket to the theatre |
| der Spielplan | programme (for season) |
| das Programm (-e) | programme (for performance) |
| die Festspiele (pl) | festival (music, theatre, etc) |
| die künstlerische Freiheit beeinträchtigen | to restrict artistic freedom |
| der Klassiker (-) | classic |
| es fand bei den Kritikern wenig Lob | it met with little praise from the critics |
| anspruchsvoll | demanding |
| eine packende Thematik | exciting subject-matter |
| einen Film drehen | to make a film |
| der Spielfilm (-e) | feature film |
| synchronisieren | to dub |
| mit deutschen Untertiteln | with German sub-titles |
| das Drehbuch (¨er) | screenplay |
| der Trailer (-s) | trailer |
| die Vorstellung (-en) | showing (of film) |

## Die Literatur

## Literature

D

| | |
|---|---|
| der Schriftsteller (-) | writer |
| das Werk (-e) | work |
| gesammelte Werke (pl) | complete works |
| die Dichtung | literature, writing, poetry (also refers to individual work) |
| die Gattung (-en) | genre |
| die Belletristik | fiction and poetry |
| der Roman (-e) | novel |
| der Bildungsroman (-e) | novel about the development of a character |
| die Erzählung (-en) | short story |
| die Gruselgeschichte (-n) | horror story |
| die Novelle (-n) | novella |
| der Dichter (-) | poet |
| das Gedicht (-e) | poem |
| die Sammlung (-en) | collection |
| veröffentlichen | to publish |

| | |
|---|---|
| es erschien bei ... | it was published by ... |
| der Verlag (-e) | publisher |
| neu erschienen | recently published |
| das Taschenbuch (¨er) | paperback |
| die gebundene Ausgabe | hardback edition |
| der Klappentext | blurb |
| der Erzähler (-) | narrator |
| die Erzählung | narrative |
| der Dialog (-e) | dialogue |
| eine Erzählung in der Ich-/Er-Form | a story in the first/third person |
| es spielt in ... (+Dat) | it is set in ... |
| der Schauplatz der Erzählung | the scene of the story |
| die Handlung (-en) | plot |
| die Nebenhandlung (-en) | sub-plot |
| sich entfalten | to unfold (itr) |
| entfalten | to unfold (tr) |
| entwickeln | to develop (tr) |
| die Gestalt (-en) | character (person, figure) |
| der Charakter (-) | character (personality) |
| die Charakterisierung | characterisation |
| die Eigenschaft (-en) | characteristic |
| menschliche Beziehungen (pl) | human relationships |
| sein Verhältnis zu seiner Frau | his relationship with his wife |
| der Vorgang (¨e) | event |
| der Ausgang | ending |
| schließlich | in the end |
| beschreiben | to describe |
| darstellen / schildern | to portray |
| erzählen | to recount |
| der Aufstieg | the rise |
| der Verfall | the fall |
| erfunden | imaginary |
| die Phantasie | imagination |
| sich (Dat) etw. vorstellen | to imagine sth. |
| die Lehre | moral point |
| die Trümmerliteratur | literature of the immediate post-war years |
| die Frauenliteratur | books by women |
| verarbeiten | to deal with (subject) |
| es behandelt die Frage ... | it deals with the question of ... |
| es dreht sich um ... (+Acc) | it concerns, is about ... |
| es setzt sich kritisch mit ... auseinander (+Dat) | it takes a critical look at ... |
| ein starkes gesellschaftliches Engagement | a strong social conscience |
| eine moralisch fundierte Sozialkritik | social criticism with a basis in morality |

| | |
|---|---|
| die Schattenseiten (pl) des Wirtschaftswunders | the negative side to the economic miracle |
| das Unbehagen an . . . (+Dat) | unease, disquiet at . . . |
| das Mißtrauen gegen . . . (+Acc) | mistrust of . . . |
| der Materialismus | materialism |
| es artikuliert sich in . . . (+Dat) | it is expressed in . . . |
| etw. in Frage stellen | to question sth. |
| zum Thema werden | to become an issue |
| ein zentrales Thema | a central theme |
| eine Reflexion über . . . (+Acc) | a reflection on . . . |
| eine kritische Einstellung zu . . . (+Dat) | a critical attitude to . . . |
| kompromißlos | uncompromising |
| die Nöte und Sorgen der kleinen Leute | the problems and worries of ordinary people |
| das menschliche Scheitern | human failure |

## Die Literaturkritik

## Literary Criticism

| | |
|---|---|
| die Zusammenfassung | summary |
| der Kommentar (-e) | commentary |
| die Kritik | critique, criticism |
| analysieren | to analyse |
| erklären | to explain |
| zitieren | to quote |
| das Zitat (-e) | quotation |
| auf etw. (+Acc) reagieren | to react to sth. |
| was können wir daraus entnehmen? | what can we draw/infer from this? |

### I Positives

*Positive Points*

| | |
|---|---|
| der Ideenreichtum | inventiveness |
| ideenreich | imaginative |
| gefühlstief | intense |
| gefühlvoll | sensitive |
| lebensnah | true to life |
| spannend | exciting |
| lebendig | vivid |
| unterhaltsam | entertaining |
| glaubwürdig | believable |
| es stört | it is disturbing |
| humorvoll, heiter | humorous |
| ergreifend, rührend | moving |
| sehr lesenswert | very readable |
| leicht verständlich | easily understood |
| liebevoll | affectionate |
| optimistisch | optimistic |

| | |
|---|---|
| witzig | witty |
| warmherzig | warm-hearted |
| einer der bedeutendsten Romane | one of the most significant novels |
| die Einfühlung in (+Acc) | empathy with |

## 2 Negatives — *Negative Points*

| | |
|---|---|
| weitausholend | long-winded |
| verwickelt / kompliziert | involved, convoluted |
| das Klischee (-n) | cliché |
| voller Klischees | full of clichés |
| klischeehaft | stereotyped |
| plump | crude, obvious |
| unglaubwürdig | unbelievable |
| vage | vague |
| skurril | scurrilous |
| simpel | simplistic |
| banal | banal |
| monoton | repetitive |
| trist | drab |
| zusammenhanglos | disjointed |
| unlogisch | illogical |
| konsequent durchdacht | well thought out |
| dürftig | insubstantial |
| schwer zu lesen | unreadable |
| unverständlich | incomprehensible |

## 3 Neutrales — *Neutral Points*

| | |
|---|---|
| kühl, distanziert | detached, impersonal |
| ironisch | ironic |
| realistisch | realistic |
| didaktisch | didactic, with a message |
| idealistic | idealistisch |
| nostalgisch | nostalgic |
| sentimental | sentimental |
| es stellt hohe Ansprüche an den Leser | it makes great demands on the reader |
| anspruchsvoll | demanding, highbrow |
| anspruchslos | undemanding, lowbrow |
| verzweifelt | despairing |
| pessimistisch | pessimistic |
| brutal | violent |
| wir bekommen dadurch einen Einblick in ... (+Acc) | it gives us an insight into ... |
| zusammenschließen (ie-o-o) | to combine, bring together |